好孕體操

讓妳調理體質、突破高齡、自然受孕！

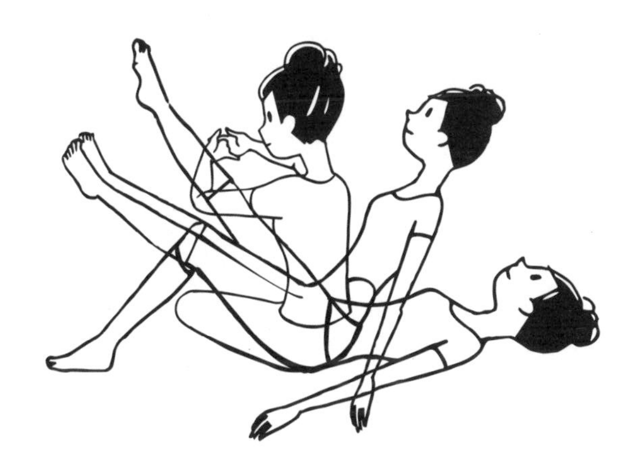

竹內邦子／著
陳政芬／譯

前言

我對於渴望懷孕的女性，開設好孕體操（Fertile stretch）課程已超過二十年。

每次上課開頭，我都會問學員：

「妳這週有發生什麼『大事』呢？」

請讀者也一起說說自己的一週大事，想必妳可以馬上想起來吧！

每天都有許多社會新聞，不過我想聽的不是那些，而是關於妳自己的事情。「我今天沒吹好頭髮，心情有點糟」或「看到今早萬里無雲的天空，我變得很愉快」不管是多麼微不足道的事都可以。

對於熱切盼望懷孕的女性，我建議「不要被社會的成見或他人的話所干擾，妳自己的感受和狀況才是最重要的。」而且我希望妳「坦白說出自己的感受，表現自我。」做到這兩點，能讓心情愉快起來。

我把這樣的目的隱藏在課堂開頭的問題裡，因此每週我都這樣問學生。

等待成功受孕的時間一長，妳便會聽到各種說法，例如：「現在想懷孕卻生不出來的夫妻越來越多。」

一般人認為這種現象的主因，是晚婚、晚生，的確如此。

對妳來說，妳已活出自己的人生，而且妳在最佳的時機，和最佳的對象結婚，擁有光彩奪目的人生，直到現在才有多餘的心力來考慮生孩子。

人生的時機很重要。妳希望什麼時候懷孕呢？這必須由妳自己決定。社會所說的晚婚、晚生，並不能影響妳的人生，即使真的是這兩個因素使妳不易懷孕，但過去無法改變。

不過，在種種使妳不易懷孕的因素中，有一種妳可以憑自己的力量改變。如果妳希望不久的將來能抱自己的孩子，請妳從今天起試著改變吧！

能改變的，就是妳的腦袋。

人腦分為左腦和右腦，依照功能簡單區分，左腦負責邏輯，右腦負責感性。

監修本書的日本ＩＶＦ ＮＡＭＢＡ醫院院長——森本義晴醫師曾說：「現

代人由於習慣性運用左腦，使右腦萎縮。」

感覺性、直覺性的右腦，掌管動物本能。懷孕是種自然過程，因此必須靠這種動物性本能，也就是天性，使右腦靈活運作，提高受孕能力。

我看過許多想要懷孕卻無法如願的女性，發現很多人偏向理性。理性極富魅力，展現知性美，代表妳擁有理智與長年粹鍊而成的智慧。但是想要懷孕，妳得放下理性，發揮本能的感性。

日本IVF NAMBA醫院是世界最頂尖的不孕症治療中心之一，森本醫師是日本不孕症治療的權威，他常對患者說：「妳要變得更加動物性！」

由於不孕症治療的進步，懷孕能得到越來越多的醫療協助，但是並非所有案例都能靠科學解決。卵子、精子只能由人體製造，受精卵能否著床（受精卵要在子宮內膜上固定、生長），終究得依賴人體的力量。對兩性來說，懷孕的關鍵在於自然的力量。我這麼說，相信各位應該能同意懷孕的確是自然過程吧。

因此，懷孕需要喚起感性，激發人體的動物本能。

為了喚醒本能的感性，活動身體是最佳的方法。每天活動身體一次，可以激發本能的感性。

所以請大家做好孕體操，不要想東想西，將注意力集中於身體的活動，傾聽自己身體的聲音。請妳要意識到，有一天妳的孩子會住在這副身體的子宮和卵巢，所以要好好愛護自己的身體。把紛亂的想法放下，可以喚醒妳的本能感性，幫助提高受孕機率。

好孕體操是一種使女性的身體，轉變成易孕體質的運動療法，目的在於促進骨盆腔的血液循環，活化子宮與卵巢，提升排卵及受精卵著床的能力。

我在二〇〇七年八月出版第一本日文著作《讓妳容易懷孕的好孕體操》，受到許多女性的讚賞，目前累計銷售量已超過兩萬五千本。

許多讀者看了書，紛紛回應：「我一直在等待這樣的書」、「這本書由不孕症專科醫師審訂，值得信賴」、「書中有插圖，一目了然」……我還得到許多令人欣喜的報告：「我終於懷孕了！」

做完本書介紹的整套好孕體操，大約九十分鐘，每天認真做，效果會相對提高。

但是時間如果不夠，不必勉強做足九十分鐘，一天只要五分鐘，做自己想做的動作就足夠；持之以恆，體質必會慢慢改變。

本書增加雙人按摩的部分，請和妳的另一半一起找個放鬆時間，一起來提升受孕能力。

在人生不同階段，每個人想要的東西都不一樣，雖然年輕的時候可能一發即中，但努力得到的成果會更珍貴，妳一定能成為一位愛孩子的母親！

妳的另一半亦是如此。許多四、五十歲才當爸爸的男性，都很努力和太太一起照顧孩子。年長有年長的好處，這點可別忘了。

得到孩子的機會一定會來臨，妳的孩子一定在等待妳們緊緊抓住那個機會。妳的本能感性是把握機會的關鍵！請透過本書的好孕體操，幫助自己調整身心，為抓住最好的受孕機會預做準備吧！

每天持續努力，會讓妳一步步接近孩子，請抱著此信念，從今天開始做好孕體操！

竹內邦子

推薦文　運動療法可以提高受孕機率！

日本IVF大阪醫院院長　福田愛作

所有的事物都有意義，為懷孕所做的努力也不會白費。

一般人常說，不孕症治療的結果是未知的，但我希望各位要相信，每個人都有機會。

我很喜歡跑步。二〇一〇年，我參加了嚮往已久的全程馬拉松大賽——日本東京馬拉松。跑馬拉松的時候，我的腳指甲突然開始刺痛，跑過四十公里左右，右膝的韌帶也痛了起來，但我還是一心往目標前進，沒有停下來，跑完 42.195 公里。

各位女性，我相信妳正以懷孕為目標，在耐心與勇氣的支持下，往目標前進！

「我這麼努力，怎麼還沒看到終點？」

跑步的時候，相信大家都想過一、兩次這個問題，但請不要放棄，妳可以透過自己的努力邁向終點。

方法之一是本書要告訴妳的，養成易孕體質的運動療法。

本書作者竹內邦子老師，在我擔任院長的日本ＩＶＦ大阪醫院，開辦運動療法課程，陸續幫助許多患者成功受孕，非常令人高興。

我自己也上過她的課，雖然我喜歡跑步，但也不禁邊做邊想：「怎麼還沒完啊？」竹內老師和學生們都很努力。

竹內老師的課程可讓人盡情活動身體，充分進行有氧運動。說到體操，很多人會以為是比較靜態的運動，不過課程其實非常動態。以懷孕來說，對任何事都態度積極、保持主動很重要，所以我將竹內老師的運動課程稱為「好孕體操」。

本書所提出的運動療法，涵蓋靜態的伸展姿勢，及動態的健身動作，巧妙融合多方要素，促進助孕。

好孕體操最大的功能在於改善全身血液循環，這對懷孕很重要。

全身的血液循環變好，骨盆腔的血液循環也會變好，卵巢的功能必定活化。醫學已經證實，有些患有卵巢沾黏、血液循環很差而不易受孕的女性，可以透過手術治療，使血液循環變好，排卵率跟著改善，可見血液循環與排卵關係密切。

全身的血液循環變好，腦部的血液循環當然會變好。培育卵子、排卵等卵巢功能，來自腦下垂體及下視丘的合作。為了製造優良的卵子，順利排卵，促進腦部血液循環是很重要的。

此外，改善全身的血液循環，更能促進細胞的新陳代謝。我們的身體會進行細胞分裂，所有的細胞幾個月便更新一次。我們無法阻止年齡增長，但促進新陳代謝就可以活化細胞，促進身體的功能。

促進卵巢的新陳代謝具有一樣的效果。構成卵子的卵細胞數量是固定的，無法增加，但促進卵巢的新陳代謝，便能強化卵巢的功能。

好孕體操還有其他效果。活動身體，心情便自然開朗起來，這時身體會分泌類固醇。類固醇原是人體腎上腺分泌的皮質醇，又稱壓力荷爾蒙，具防禦作用。若分泌量充足，不僅對感染的抵抗力會提高，抗壓性也會增強。心情鬱悶和壓力會妨礙受孕，而愉快地活動身體則能抒發壓力。

治療不孕症的期間，妳們可能會遇到令人難過、沮喪的事，但如果妳把注意力放在活動身體，在運動期間，即能忘記不愉快的事。保持每天運動的習慣，以調整自己的心情，可謂一舉數得。

懷孕並不是一場比賽，而是一種緣分。除了妳與孩子的緣分，在為懷孕努力的過程中，妳會遇到各種人事物。會遇見誰？碰到什麼事？請積極地面對吧，朝著懷孕的目標前進，珍惜寶貴的緣分。

最後，當妳終於與孩子相遇，是多麼令人高興啊！但結果不一定如此，這是懷孕冷酷無情的一面，但妳還是會從中得到某些收穫。

即使堅持到最後，妳也可能陷入「雖然非常努力，但可能無法如願」的困境。這時，能將妳從失落感中解救出來的，是妳一路來的努力。妳的努力創造了許多緣分，終將成為支持妳的力量。

充實的每一天所遇到的美好事物，會讓妳覺得「雖然過程艱辛，不過我沒半途而廢，能做的事都做了，我已盡力。」只要沒有遺憾，妳就會有勇氣接受現實。

現在妳要挑戰的「好孕體操」會為妳帶來一生最重要的機會，支持妳的身心。

好孕體操是一種能讓妳發揮全力、提高受孕機率的運動療法。我一向明白告訴患者：「過了四十五歲，懷孕的可能性便會降低！」四十五歲以後的女性，以生物學的角度來說很難受孕，但只要有排卵，受孕機率就不是零，但也可能只有1％的機會，不是不可能。

請認清這點，同時試著看清未來，思考自己為了提高受孕機率，能做些什麼。希望妳要相信，儘管面對如此的現實，只要樂於尋找機會，有顆積極、開朗、從容的心，便會有所收穫。

抵達終點之前，請積極地向前邁進，別放棄，如果半途而廢，一切就再也沒有機會。請以自己的速度進行，若能一步一步向前，堅持到最後，人生必有轉機。

竹內老師是一位充滿感染力的女性，她必定會透過本書，將勇氣傳送給妳！
我也會一直在這裡支持妳，直到夢想實現的那一天。

福田愛作　醫師

一九五〇年，日本京都府出生。一九七八年，關西醫科大學畢業。一九八九年，京都大學研究所畢業。曾任舞鶴市民醫院婦產科主任，參與創辦京都大學體外受精小組，成為日本體外受精成功第六例的主治醫師。一九九〇年赴美，於八年間，以東田納西州立大學醫學院婦產科副教授之身分，率領體外受精小組從事研究與教育。為日本唯一擁有美國體外受精室高級研究指導員公認資格者。現為日本生殖醫學會生殖醫療專科醫師、日本ＩＶＦ學會理事、日本臨床胚胎學會顧問、日本雷射生殖學會理事長、ＩＶＦ大阪醫院院長。

譯註：ＩＶＦ指In Vitro Fertilization（試管嬰兒），為不孕症治療的一種。

好孕體操讓妳調理體質、突破高齡、自然受孕！

CONTENTS

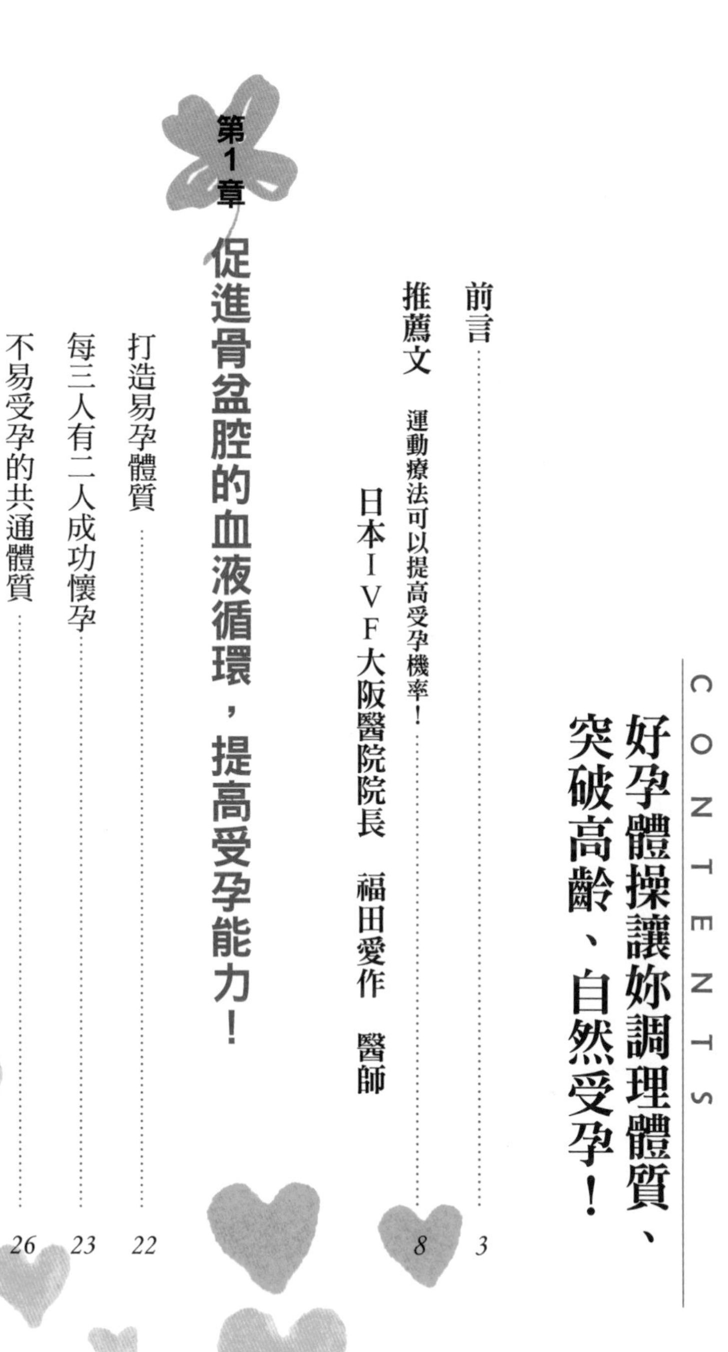

第1章　促進骨盆腔的血液循環，提高受孕能力！

第2章 一起來做好孕體操吧！

第3章 雙人按摩，你儂我儂

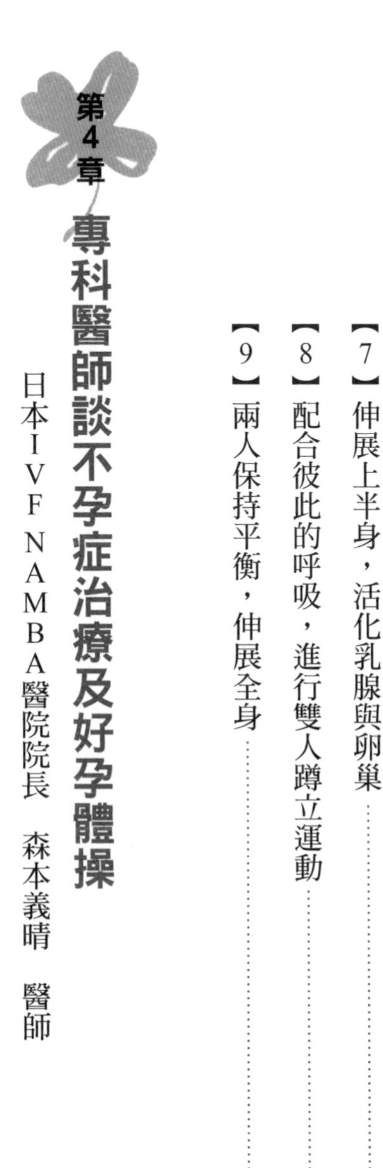

第4章 專科醫師談不孕症治療及好孕體操

日本IVF NAMBA醫院院長 森本義晴 醫師

第5章 令人驚喜的報告——我懷孕了！

第1章

促進骨盆腔的血液循環，提高受孕能力！

骨盆腔的血液循環變好，
像在子宮鋪上一層柔軟的地毯，
對懷孕是很重要的。
請透過本書的好孕體操，
幫助妳打造容易受孕的體質。

打造易孕體質

歡迎各位來到好孕體操的世界！

好孕體操是為了將女性的身體轉為易孕體質的運動療法。

妳現在的目標，是要在肚子裡孕育一個新生命，讓我們從今天起，攜手共同邁進，直到妳夢想實現的那一天！

我受到日本ＩＶＦ ＮＡＭＢＡ醫院院長——森本義晴醫師的邀請，為接受不孕症治療的女性，開辦好孕體操課程，已經超過二十年。

這段期間，我滿腔熱忱地開課，和許多女性一起度過歡笑與淚水交織的日子，有些學生的孩子如今已經念大學。聽到學生開心地說她懷孕了，真是一件令人高興的事！我以所有學生都能懷孕為目標，全數投入我的熱情。

二十年前進行體外受精（在培養皿內受精，再將受精卵移回子宮的方法）的日本醫療機構非常少，以運動療法打造易孕體質的想法更是聞所未聞。在沒有任何範例可以參考、缺乏文獻的情況下，我得到森本醫師許多的寶貴建議：「這個姿勢有益子宮的血液循環改善喔」、「這對活化卵巢很有幫助」等，漸漸建立這套改善體質的好孕體操。

這段期間，我吸收許多專家學者的智慧結晶，積極參加與懷孕、人工受孕等相關的研討會，將有益受孕的事物全納入我的好孕體操課程。

就這樣，我從零開始，建立這套好孕體操，發展出兩大重點：「促進骨盆腔血液循環」以及「放鬆身體」想要改變體質、打造容易受孕的身體，這兩點非常重要。

每三人有二人成功懷孕

開始做好孕體操之前，相信各位都想知道，這個運動療法對懷孕有多少幫助吧！我們先來談談這件事。

如前所述，我在二十幾年前就開辦好孕體操課程，能持續這麼久，有這麼多

學生參加，坦白說，我當初根本沒想到。

在這二十年間，每一堂課我都全力以赴。出席二次以上的學生名字我一定記得，不需要名冊，我堅持開放性的授課方式。

因此，至今有過多少學生、多少嬰兒因此誕生，我沒想過加以統計，但想必各位讀者可能都很關心吧。

在日本，以河內綜合醫院（一九九〇年課程開始）、ＩＶＦ ＮＡＭＢＡ醫院（二〇〇三年課程開始）、ＩＶＦ大阪醫院（二〇一〇年醫院整修，重新開張後，課程開始）三處的課程來說，我可以確定持續上課的女性中，成功受孕者超過一千人。

具體而言，二〇一〇年十一月，ＩＶＦ大阪醫院舉辦的雙人課程，參加的十五組中有十組成功受孕；另外，二〇一〇年一月至二〇一一年一月，ＩＶＦ大阪醫院舉辦的一般課程，參加者七十四人中有四十人成功受孕。

計算所有參加者成功受孕的比率，三人中就有兩人懷孕。學生的體質順利改善之後，成功受孕率有時甚至高達90％！

不過，這成功受孕率有一個附加條件：「持續上課」持續至何時呢？當然是「到懷孕為止」

懷孕像「紅白」一樣分明，我常用「紅白」來比喻懷孕，當白色逐漸染紅，就是懷孕。

在白色開始染紅之前，至少要持續半年的好孕體操。大約半年身體會逐漸改變，當妳的動作看起來變靈活，就我所見，成功受孕率幾近百分之百。

當然，懷孕不是只靠好孕體操即能達成。

學生還接受針對個人狀況的，最適切、最新的不孕症療法。ＩＶＦ醫療團隊致力於整合醫療，以治療為主，並從營養及心理等角度，進行助孕療程，體操是其中一個環節。

最重要的是學生自己要把有益受孕的事，全納入生活，努力不懈。

我想妳一定是如此——希望不久的將來能抱著自己的孩子，想要盡力，所以才會購買本書。想必正在進行不孕症治療的人應該很多，我想有的人已嘗試過許多方式，最後才看到本書。

懷孕得靠整體的力量去完成，因此為了建立易孕體質，要積極實行有益受孕的事，好孕體操便是其一，希望妳能堅持到底。

不易受孕的共通體質

到目前為止，我幫許多不孕症治療的學生上過課，我注意到不易受孕的女性有三個共通點：

❶過於認真、想太多。
❷容易緊張。
❸覺得運動很麻煩，不愛運動。

妳是否有這些情形呢？
過於認真的思考方式、緊張，都會使身體僵硬。

不易受孕的共通體質

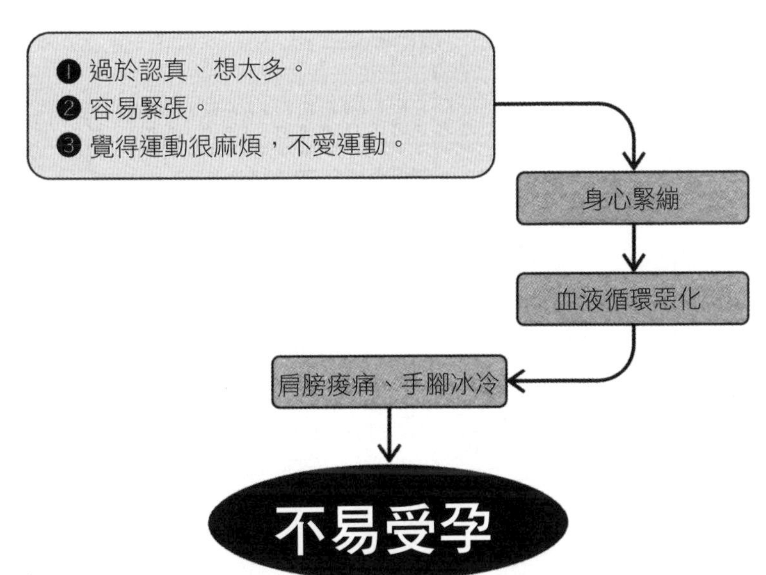

身體僵硬是懷孕的大敵，會阻礙血液循環。一緊張肌肉即僵硬，血管收縮，若又運動不足，身體會越來越僵硬，阻礙血液循環。

血液循環惡化，身體到處都會出現不舒服的症狀，最常見的是肩膀痠痛和手腳冰冷。

我見過的學生中，不易受孕的女性幾乎都有肩膀痠痛和手腳冰冷的情況。肩膀痠痛來自血液循環不良。由於血液不只流過肩膀和心臟，肩膀痠痛代表全身的血液循環不良，當然，與受孕關係最密切的骨盆腔也一樣血液循環不良。

此外，手腳冰冷也是血液循環不良的徵兆。血液繞行人體一圈約二十五秒，而血液最晚到達的地方，是位於身體末稍的頭頂、手掌及腳底。

血液循環惡化，運送到這三處的血液會變慢，四肢末梢冰冷，起身容易暈眩。無貧血但起身會暈眩的女性，許多是因為血液來不及送到頭部。請用好孕體操來改善這種問題吧！

做事認真是非常好的個性，容易緊張是女性心思細膩的表現。但是，好個性如果過度，容易產生壓力。請保持每天活動身體一次的習慣，淨空腦袋，重新啟動！

前言提過，懷孕是一種自然過程，人如果習慣以左腦思考，便會以理性思考事情，忘了自己是動物，但懷孕要靠動物本能、感性才能達成，有許多部分無法用理論分析。請輕鬆地活動身體、傾聽身體的聲音，每天讓自己恢復動物本能一次吧！這樣有助於提升受孕能力。

打造血液循環良好的子宮！

對懷孕而言，骨盆腔的血液循環很重要。如果骨盆腔的血液循環不良，就很難受孕。為什麼呢？

森本醫師這樣解釋。

子宮內膜充滿血液，女性的身體為了排卵，內膜會逐漸增厚，像柔軟的地毯。排卵後，若卵子與精子結合成受精卵，受精卵即經過輸卵管，掉落到子宮內膜。

這掉落的方法十分奇特，受精卵並非隨意掉落，而是像球一樣，在子宮裡跳動，尋找最柔軟的地方，接著內膜的地毯會接住受精卵，著床完畢。

如此看來，懷孕不僅是一種自然過程，受精卵和內膜都好像有自己的生命力。

正因如此，如果內膜「地毯」不柔軟，受精卵會無法著床，內膜無法留住受精卵。

好孕體操可促進骨盆腔的血液循環，結果會在子宮裡鋪上一層柔軟的「地毯」，使受精卵容易著床。

子宮的「地毯」由血液構成，由此可知，增進子宮的血液流動很重要，所以我們需要促進骨盆腔的血液循環。

此外，放鬆身體也很重要。身體僵硬，血管就會收縮，使血液無法順暢循環全身。所以必須去除肩膀的緊繃，消除痠痛，背部、腰部、乳腺及股關節等容易血液循環不良的部位，要好好照顧。

只要細心照顧，改善全身的血液循環，骨盆腔的血液能充分流通，妳的子宮內膜會像柔軟的「高級地毯」。

同時活化卵巢的功能，因為良好的骨盆腔血液循環，能將營養充分地送至卵巢，而且好孕體操還包含直接促進卵巢功能的多種動作。

好孕體操是放鬆身體的運動療法

運動對身體很重要，但不是任何運動都有助懷孕。每一種運動都有目標，要達成目標，選對方式最重要。

譬如，我常聽很多人說：「好孕體操很像『彼拉提斯』（Pilates）運動」這兩者乍看相似，其實目的全然不同。

簡單來說，彼拉提斯以鍛鍊身體深層肌（Inner muscle）、建立強健的體魄為目的，原是為了使運動選手的動作更快、更高、更遠而設計。

相較之下，好孕體操則是促進骨盆腔血液循環、放鬆身體，以建立易孕體質為目標的運動療法。

簡言之，彼拉提斯是鍛鍊身體的運動，好孕體操則以放鬆身體為目標。目的不同，呈現的結果自然不同。

此外，有人將好孕體操與瑜珈混為一談。瑜珈派別眾多，從傳統到以美容和健康為目標的近代瑜珈都有。從懷孕的觀點來看，兩者的目的不同。

好孕體操不用挑戰很難的姿勢、超越人體極限，而要使身體盡可能接近地面。為了懷孕而運動，卻以勉強的姿勢讓身體疼痛，或不慎跌倒發生意外，怎麼還能懷孕呢？好孕體操以安全為原則，不管妳是正在接受不孕症治療，或是懷孕初期，都可以安心做。

我重申一次，懷孕需要放鬆身體。為了促進骨盆腔的血液循環，因此一定要放鬆肌肉、促進全身的血液循環。

所以，做好孕體操請特別注意骨盆腔，更精確地說，請注意子宮與卵巢。做好孕體操是為了要疼愛妳的子宮與卵巢，請把這個重點放在心裡。

重新當學生，快樂做體操

要轉變成易孕體質，心很重要。

常言道「身心一體」心情放鬆，肌肉、骨盆與子宮即跟著放鬆。放鬆心情的最佳方法是打從心底地笑，從內心真正感到快樂。

每堂好孕體操的課都充滿笑聲。我常利用上課空檔開玩笑，讓大家自然地流露笑容，使我像個搞笑藝人。一個人若能真心地笑，身體就能放鬆，擴大動作範圍。

此外，上過兩次課以上的學生，我一定會記住名字，暱稱為「小○○」。剛開始學生被叫「小○○」，就像回到少女時代，害羞又開心，表情變得柔和，而且學生也學我，以暱稱稱呼其他同學，變得志同道合。

治療不孕症的人多是孤軍奮戰，若有相同處境而能互相傾訴的朋友，就不會感到孤立無援而受到鼓舞，比較能堅持下去。

好孕體操的課堂上笑聲不斷

妳不孤單，妳是我們的朋友。雖然我們無法直接見面交談，但我相信透過本書，我們的心是相連的。

請將自己當成課堂的一分子，好好練習好孕體操。本書如同我的課程，融入我所有熱情。

妳可以想像我對妳說：「小〇〇，妳做得很好喔！」然後更賣力地練習。另外，我要妳答應我一件重要的事——做體操別皺眉頭。

人的表情如果憂愁，身心便僵硬，很難放鬆。微笑具有無窮的力量，笑容滿面地做體操，身體能迅速放鬆。多年的經驗告訴我，若能放鬆身心，結果即容易如願。

誰都無法預知何時能達到目標，成功受孕，有時不免感到沮喪或急躁。人感到痛苦，自然會悲傷、流淚。

但請妳拋開急躁、鬱悶的心情，專心享受體操的樂趣！當妳不再皺眉頭，笑容滿面地做體操，身體會逐漸改變，朝懷孕的目標邁進。

機會要自己把握

受精至著床整個過程，可以說是奇蹟。一般人即使身體的狀態準備就緒，懷孕的機率也只有30%。換句話說，只要有一個環節出錯，就很難成功，懷孕真是件奧妙的事。

因此，為了把握奇蹟，自己必須積極行動，向目標邁進。

我們平常只活動約30%的身體，所以我常請學生使出50%的力氣來做體操，持續練習，身體會逐漸記憶使用50%力氣的方法。如此一來，必要時即能發揮70%的力氣，那時就是懷孕的機會。

若妳總是只用30%的力氣，必要時即無法使出70%的力氣，錯失良機。

機會不會從天而降，主動出擊才是奇蹟能否成真的關鍵。

對於好孕體操，有的人會猶豫不決，認為「我的身體這麼僵硬，怎麼做體操！」還沒開始就退縮。

關於這點請放心，因為好孕體操的主要目的是促進骨盆腔的血液循環，而非使身體變柔軟。

一開始來上課的人身體都很僵硬，只要持續活動，不久肌肉會變柔軟。等到關節和骨盆周圍的肌肉放鬆下來，即能靈活地活動肌肉、身體。

原本無法筆直抬起的腳，突然能完美地向上伸，手腳不再冰冷，肩膀不再痠痛。當妳感到身體狀況改善，正是機會的到來。

身體狀況改善至少需要半年。我的學生差不多都是上了半年的課之後，一個個成功受孕畢業的。

若感覺身體狀況改善，為了把握機會，請更積極地行動，將每天十分鐘的體操，延長為十五分鐘，受孕力就會提高，也可將靜止三十秒的姿勢，延長為四十五秒。

請每天好好努力，充分準備，相信自己，即時把握機會。

樂觀積極，但別逞強

我會在課堂上對大家說：「在這裡大家都是同學！包括我喔！」搏大家一笑。閱讀本書的妳也一樣，做體操時，妳就是我們的同學。

我有許多學生年過四十，三十五至三十九歲的人還算年輕，少數人甚至還五十幾歲。這裡的每個人都雄心勃勃地說：「我要刷新紀錄給大家看！」絕口不提不安、焦慮等字眼，精力充沛，努力做體操。

就卵巢的功能來說，過了四十二歲成功受孕率便會快速下降，這是無可避免的事實，但我相信「保持積極樂觀，能戰勝年齡」卵巢的功能退化，可透過體操活化。

懷孕是個奇蹟，若想要超越年齡限制，常會碰到令人沮喪的困境，但身心若能積極、正面以對，所有人都有機會。能否抓住機會，重要的不是年齡，而是自己的積極態度。

不過，任何事都別逞強。若認為「不努力做體操，無法懷孕」而勉強自己，體操反而會變成一種壓力。好孕體操的目的是紓解身心的疲勞、放鬆身體，若變成壓力，會適得其反。

重要的是，「妳是否能愉快地生活」。請記得，樂觀積極但不逞強，愉快地生活，正是放鬆身心、把握受孕機會所需的精神。

想要懷孕的三個注意事項

想要懷孕，有三個平時應注意的事項。

第一是坐姿。

側坐會使骨盆腔老化，不應該翹腳。想保持年輕的骨盆，就要時時注意骨盆姿勢，將肚臍朝向正面。另外，我不建議跪坐。在外為了保有淑女風範，跪坐、側坐無妨，但在家裡，請記得將骨盆擺第一位，溫柔對待骨盆。

第二，勿受限於體重、體脂肪的數值。

想要懷孕，請注意三個事項

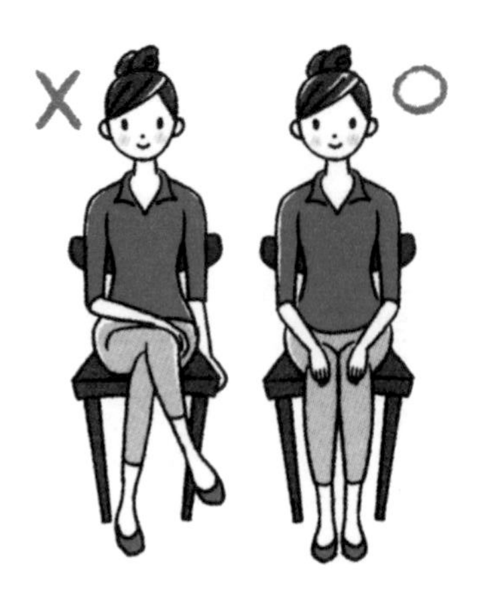

❶注意坐姿
肚臍朝向正前方，骨盆擺正。勿側坐、跪坐或翹腳。

❷勿受限於體重、體脂肪的數值
過瘦會造成不孕，要愉快地享用可口餐點。

❸別受他人影響
重要的不是別人的看法，而是自己的幸福。要有堅定的意志。

肥胖雖是不孕的原因之一，但這是指極度肥胖，有點胖是不必太在意的。不少女性一聽到「肥胖會造成不孕」，便斷然節食。

大家似乎沒想過，太瘦也是不孕的原因。事實上，體脂肪低於17％，荷爾蒙會失調；低於12％，月經會停止。因此，體脂肪低於17％，便有不易受孕的傾向，因為動情素的製造需要脂肪。

身體過瘦，做體操很快便活動過度。為懷孕煩惱的女性，多是認真、努力的人。為了懷孕，她們會徹底節食，做體操也很拼命。但過度節食會減少脂肪與肌肉。體操得透過肌肉活動身體，肌肉少的人做體操，容易感到疼痛。

我有時會吃點心和冰淇淋。吃甜點是女性的一大樂趣，如果規定自己「絕對禁止」吃甜點，很可能把自己逼太緊。

不管是稍胖還是稍瘦的人，會懷孕就會懷孕，因此與其限制飲食，不如愉快享用可口的餐點，對身心才是最有益的。

第三，不要被別人不經意的一句話刺傷。

不孕女性最常聽到的一句話是：「妳還沒懷孕啊？」他人隨口一句話：「還

沒有消息啊？」像在談論天氣，但聽在想生孩子的人耳裡，格外沉重、痛苦。此外，女性友人談論自己的孩子或展示小孩照片，也會徒增妳的痛苦。

將這些話當耳邊風，並不簡單。但是，我還是要說：「別在意他人！不要受他人影響！」說那些話的人並沒有想太多，妳不該因此難過。

女性常為懷孕的問題變敏感，正因如此，請不要受他人影響，要有堅定的意志。重要的不是別人的想法，而是妳們夫妻和未來孩子的幸福。

雙人按摩，增進情感！

手的溫度能療癒身體的不適，使心情平靜。靠一己之力很難做到的伸展動作，有他人協助，放鬆的效果會更好。

常為不孕而心情沮喪的，多是女性。因此，本書加入雙人按摩，希望即使每天只利用一點時間，也能讓夫妻有互相接觸的機會。讓另一半和妳朝共同目標，一起努力，因此不妨將雙人按摩納入妳們的日常生活。

另外，雙人按摩還有助於消除性冷感。近年來，嚴重性冷感造成的不孕越來越多。性冷感的原因有許多，但造成不孕的原因多半在於男性，平時對另一半提不起性趣的男性急速增加。拙著《如何讓他有「性」趣》分析此種現象的心理狀態及實際情況，介紹許多有助於消除性冷感的按摩方法。

男性對另一半沒性趣的原因，主要有二。

一是工作耗盡腦力，提不起性趣，所以日本人常說：「女人靠荷爾蒙做愛，男人靠腦子做愛。」

二是從小在母親的照顧下努力念書，青春期壓抑對性的興趣，對真實的女性沒有正常性欲。

不管哪一種，對期盼懷孕的女性來說，都極度痛苦。等待性冷感的另一半行動並不能解決問題，這時女性要先踏出第一步，接近另一半。

雙人按摩能有效改變性冷感男性的心與腦袋。因為，心愛的女性按摩自己的身體，相信沒有一個男性不會被「解放」。

好孕教室一年舉辦幾次雙人課程，邀請另一半一同參加。課程的效果非常顯著，上完雙人課程，一定會出現成功受孕的夫妻，而且有些是自然受孕。

雙人按摩具撫慰作用，是帶入溫柔性生活的手段，希望各位善加利用。

我的前一本日文著作《讓妳容易懷孕的好孕體操》介紹的雙人按摩，以男性幫女性按摩為主，此作法的畫面看起來很美。

不過，這次要顛倒過來，由女性幫男性按摩。因為，要拜託另一半幫忙按摩比較不容易，要是被拒絕會很傷心。

所以，妳必須積極跨出第一步。首先，請學會按摩的方法，簡單的兩、三種即可，若無其事地幫另一半按摩。

說一聲「你辛苦了」接著觸摸他的身體、幫他按摩，這樣另一半的心一定會改變，因為身體舒服，心即放鬆下來。如此一來，另一半一定會與妳同心，希望早日做人成功。

對期待懷孕的女性來說，排卵期是一個月一次的寶貴機會。為了抓住這機會，絕對需要另一半的協助，因此早上送另一半出門時，妳會說：

「今天是排卵期，早點回來喔！」

還是說：

「今晚我幫你按摩，早點回來喔！」

哪種講法較容易產生機會呢？這要看聰明的妳怎麼做，答案妳應該知道吧！

第2章

一起來做好孕體操吧！

請想像著，
終有一天，
住進妳肚子的可愛生命，
同時將意識，
集中於子宮和卵巢！

好孕體操的注意事項

現在開始做好孕體操和雙人按摩吧！先從好孕體操開始，請遵守以下七點：

1別皺眉頭

臉部緊張即是身體緊張的證明。請面帶微笑，放鬆心情。

2抱著「我一定要成功」的堅強意志

抱著「靠自己的力量，抓住受孕機會」的堅強意志，積極、正面的心態會感染身體，但不需逞強。請以「樂觀積極，但別逞強」的精神好好努力。

3別堅持所有動作都要完美無缺

能力所及之處，要使出全部的力量去做，但想完美無缺地完成所有動作，可能產生壓力。好孕體操和雙人按摩不用從頭全部做完，每天五分鐘、十分鐘都好，持之以恆最重要。請配合自己的身體狀況，在能力所及的範圍內持續下去。

4注意呼吸

請用鼻子吸氣，再用嘴巴吐氣。鼻子吸氣，能吸入大量的氧氣；嘴巴吐氣，則能充分排出體內的二氧化碳和代謝物，使肌肉放鬆。另外，要配合體操的動作進行深呼吸！

5 遵守仰躺的動作順序

仰躺時，雙手和兩膝務必靠在地上，先側躺再慢慢轉身朝上。這樣除了能避免突然仰躺而傷害腰部，還能不增加腹壓，讓子宮及卵巢保持放鬆。

6 身體下面要鋪靠墊

為避免受傷，身體下面一定要鋪靠墊。課堂上使用的是墊子，若在家裡，用有點硬的坐墊或被褥亦可。

7 接受不孕症治療的人，請聽從主治醫師的指示

本書所介紹的好孕體操即使是正在接受不孕症治療的人，都可以實行，但還是得視個人情況和身體狀況而定，所以接受不孕症治療的人能否做溫和的好孕體操，請詢問主治醫師。

現在我們馬上開始做好孕體操吧！

1 提升背部肌肉力量與血液循環的坐姿

基本姿勢

背部挺直，保持正確的姿勢，即能提升背肌肌力，改善血液循環。

1 坐下來，雙腳腳底併攏，雙手輕輕抓住腳踝，肩膀放鬆。臉朝正面，從骨盆、腰部、背部到頸部，由下而上都要挺直。

2 像鴿子的脖子動作，將下巴往前伸再縮回，然後靜止十秒鐘，讓身體記住這基本姿勢。

重點

基本坐姿中，背肌要使七成力、腹肌三成力。女性的背肌通常不發達，導致駝背，為頸部與肩膀帶來很大的壓力，造成肩膀痠痛。肩膀痠痛是全身血液循環不良的警訊，骨盆腔的血液循環必然變差。只要平時注意挺直背部，保持優雅的姿勢，就能提升背部肌肉的力量，促進血液循環。

2 放鬆肩膀 維持優雅姿勢

一緊一鬆，肩膀放鬆

藉由肩膀一緊一鬆的伸展動作，矯正前傾姿勢，讓肩膀不僵硬，形成優雅姿勢。

STEP 1

1 坐在地上的墊子。可以採用基本坐姿，若不舒服，可伸直一腳，也可以用盤腿或屈膝雙腳踩地的坐姿，請採用舒服的姿勢，但勿跪坐或側坐。

2 將兩肩盡可能抬高，靠近耳朵，再慢慢放下。不是縮起脖子使耳朵靠近肩膀，而是要將兩肩往上抬到最高。

3 再次將兩肩用力抬高，靠近耳朵，接著迅速放下。重複兩次。

重點

肩膀僵硬痠痛，是因為平時姿勢不良，肩膀總是保持前傾姿勢。完成的姿勢是肩膀的正確位置，平時若能注意保持正確姿勢，肩膀即不易痠痛，而且較美觀，看起來年輕。另外，走路也要注意肩膀的正確位置，眼睛約注意前方一公尺處，若只看近的地方，頭會前傾，造成肩膀與頸部較大的負擔。

4 兩肩用力抬高，肩膀往後轉，再慢慢放下肩膀。此處便是肩膀的正確位置，優雅的姿勢完成。

以前頁 STEP 1 的坐姿進行。將兩肩以①、②、③、④一段段地抬高，靠近耳朵，④將肩膀抬至最高。

2 保持④的狀態，將肩膀稍微往後轉，放鬆，快速放下肩膀。接著，鼓起腹部，紓解腹部的緊繃。重複兩次。

重點

許多女性平時處於①的狀態，不自覺地繃緊肩膀，阻礙血液循環，引起肩膀痠痛。這個動作可以先讓肩膀緊繃至極限，再瞬間放鬆，讓身體學會真正的放鬆，對懷孕很有幫助。若平時覺得身體緊繃，請用這個動作放鬆身體，消除壓力。

3 伸展肩膀周圍的肌肉 增進子宮與卵巢的功能

促進肩膀血液循環的「伸展」動作

可消除肩膀痠痛、促進全身血液循環，改善骨盆腔的血液循環，使受精卵容易著床這個動作還可以伸展乳腺，活化卵巢功能。

STEP 1

1 採取輕鬆的坐姿（勿跪坐、側坐）。左右肩膀齊高，右手向前伸。

2 右手臂伸直，往左移動，再彎曲左手臂，夾住右手臂。伸展右肩外側肌肉，靜止三十秒。注意肩膀兩邊要保持平衡，勿一高一低。

3 右手掌轉向朝前方。伸展右肩膀周圍到右手臂的肌肉，靜止三十秒，再慢慢放下手臂。

4 左右手臂換邊，重複相同動作。

重點

肩膀痠痛代表全身及骨盆腔的血液循環不良。子宮的血液循環不良，受精卵便不易著床。肩膀痠痛與骨盆看似無關，其實關係匪淺。因此，好孕體操的重點之一，便是透過伸展肩膀至手臂的肌肉，使肌肉放鬆，促進全身血液循環。

1 採取舒適的坐姿（勿跪坐、側坐），雙手下垂，自然置於身體兩側，將右手伸直，由下往上移動到後腦勺。

2 由下而上移動左手，按住右手肘以後，兩隻手一起往左彎，以伸展右肩周圍肌肉與乳腺，靜止三十秒，再慢慢放下手臂。

3 左右手臂換邊，重複相同動作。

重點

此動作可增加肩膀關節的活動範圍，伸展乳腺，促進上半身的淋巴液循環。乳房與卵巢關係密切，改善乳腺的淋巴液循環，可以活化卵巢功能。此外，伸展時還可以一起拉開肋骨間，促進上半身淋巴液循環。

4 活動肩胛骨 提高肩膀的柔軟度

促進肩膀血液循環的「旋轉」動作

肩胛骨是位於肩膀的大骨骼，活動肩胛骨能放鬆肩膀周圍的肌肉，促進血液循環。

STEP 1

1 盤腿坐好。左手繞至背後，左手掌貼著右肩下方（肩胛骨）。

2 輕輕彎曲右手肘，右肩向後大幅度繞圈三次。

3 左手保持原來位置，右手放下，右肩向後小幅度繞圈三次。

4 換左肩，重複相同動作。

重點

這是「促進肩膀血液循環」的暖身運動。肩胛骨是構成肩膀的骨架。比較動作 2、3 可知，2 的繞圈幅度雖大，卻不怎麼活動肩胛骨，反而幅度小的 3 比較能活動到肩胛骨，可使肩胛骨充分活動。

STEP 2

1 盤腿坐好，左右手臂自然地筆直下垂，像車輪般轉動右肩，由前往後，繞圈十次。

2 右肩反方向小幅度繞圈十次。

3 換左肩，重複前後繞圈各十次。

STEP 3

1 盤腿坐好，右手指尖搭在右肩上，輕輕抬高手肘。想像手肘正前方有面白牆，手肘沾上油漆。
2 在想像的白牆上，用右手肘畫直徑約十公分的小圓圈，右肩往後繞圈十次。接著，反方向繞圈十次。

3 換左肩，重複相同動作。

注意：如果畫圓太大，或不夠圓，效果會減半，要確實繞圈，肩膀要轉動。

重點

肩膀繞圈不僅可活動肩膀，還可活動背部及肩膀前側，促進整個肩部的血液循環。請想像身旁有一面牆，以手肘在牆上畫小圓圈。平時，一般人很少向後轉動肩膀，請讓肩膀確實向後方轉圈，以增加肩膀的柔軟度。由於向前轉動肩膀比較常見，因此效果不佳，請注意。

5 縮放肩膀使肩膀深層放鬆

促進肩膀血液循環的「縮放」動作

用力收縮肩膀及背部，再慢慢放鬆肌肉，可促進血液循環，增加肌肉彈性，是簡單、有效又舒適的伸展動作。

1 盤腿坐好，十指交叉握於身後，手背貼在地上。

2 施力使左右肩膀往後移動，盡量互相靠近，收縮背部肌肉。用鼻子吸氣，吸飽之後靜止十至三十秒，再用嘴慢慢吐氣，同時放鬆肩膀。

重點

肌肉放鬆，流經肌肉的血管會擴張，血液循環變好。這個伸展動作是透過用力收縮肩膀和背部，讓肌肉繃緊，壓迫血管，再慢慢放鬆肌肉，使原本被堵住的血液，猛然流出，增進循環。這時，用嘴吐氣，肌肉會更加放鬆，效果加倍。閉氣時間可從十秒開始，逐漸增加。

6 把意識放在子宮放鬆背部

促進腰背血液循環的「伸展」動作

這個動作可以讓人伸展腰背部，把意識放在子宮上。女性很少會想要關愛自己的子宮，請用充滿關愛的心來做這個動作！

1 雙腿盤坐好，十指握於胸前，手臂像抱著球，呈圓圈狀。

2 背部挺直，與肩膀及骨盆垂直。嘴巴一邊吐氣，一邊腰部往後拱，伸展背部及肩胛骨，伸展到最大時靜止十至三十秒。此時頸部放鬆，自然下垂，把意識放在子宮。

3 手臂保持相同抱球姿勢，鼻子慢慢吸氣，背部挺直。

4 配合緩慢呼吸，重複2、3的動作四次。2 嘴巴吐氣、3 鼻子吸氣（注意要配合呼吸，3不需靜止三十秒）。

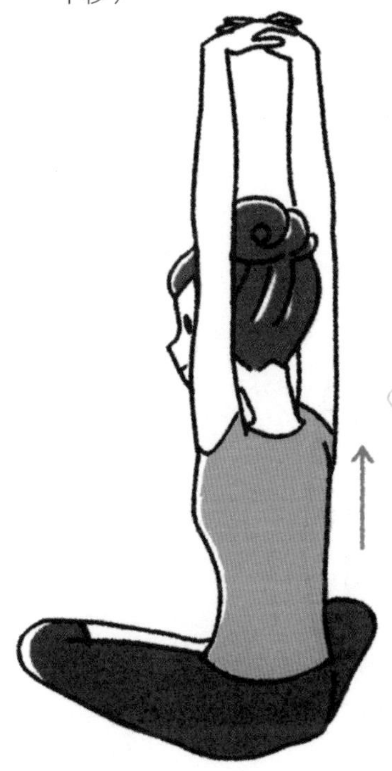

5 鼻子吸氣，依腰部、背部、頸部的順序，由下而上挺直，收下巴。十指交叉，手臂盡量往上拉。雙手臂伸至最高處，接著兩掌分開，左右手臂放鬆，快速放下到身體兩側。

注意：頸部前傾會很緊繃。所以頸部要放鬆，頭自然下垂，即能注視子宮。

重點

盡量伸展腰背部，愉快地伸展背部，同時促進上半身的血液循環。用力時請吐氣，放鬆時請吸氣，並觀想著孕育嬰兒的子宮。請想像不久的將來，妳的子宮將孕育新生命，開心地進行好孕體操。

7 扭轉腰部促進骨盆腔的血液循環

增加腰部彈性的「扭轉」動作

這個動作可以扭轉腰部，促進腰部的血液流動，改善骨盆腔的血液循環，排出囤積於內臟的多餘水分，活化人體功能。

1 坐在地上，雙腳打開與肩同寬，膝蓋呈九十度。

2 依腰部、背部、頸部的順序，由下而上挺直，兩肩保持平衡。腰往左轉，拉緊脊椎骨兩側的肌肉，靜止三十秒，再慢慢回到原位。

3 換邊，重複相同動作。

注意：扭轉腰部時，脊椎骨不可彎曲，要挺直，肩膀保持平衡，以背部來帶動腰部。不要停止呼吸。

重點

這是伸展腰部的暖身運動。扭轉腰部若覺得腰、肩會痛，表示肌肉僵硬。請每天持之以恆，但不必勉強，慢慢擴大伸展範圍。此外，若腰部有抽筋的感覺，做體操時不必勉強用力轉動。

STEP 2

1 坐在地上，右腳往前伸直，左腳彎曲九十度，與右腳交叉。依腰部、背部、頸部的順序，由下而上挺直，收下巴。

2 背部保持挺直，向左扭轉腰部，手臂向下伸展，腰扭轉至極限時，靜止三十秒。注意別做過頭，以免產生痛感。接著，慢慢將腰轉回原位，面朝前方。

注意：2 的右腳腳尖要筆直朝上，不可向左右傾斜。

3 把右腳彎曲，放到左大腿根部，右腳後腳跟靠著左臀，右手將左腳拉近身體。

4 背挺直，腰向左轉，手臂向下伸展，扭轉腰部到極限時，靜止三十秒。再慢慢將腰轉回原位，面朝前方。

5 換邊，重複相同動作。

重點

扭轉腰部除了能促進骨盆腔血液循環，還能排出內臟多餘的水分。這個動作可以拉扯脊椎骨兩側的肌肉，排出內臟囤積的水分，活化子宮及內臟，保護腰部。很多女生都有腰痛，腰痛若惡化到無法動彈，必須好好休養，改善才能懷孕。平時要多做扭轉腰部的體操，增加腰部彈性，骨盆腔的血液循環便會逐漸好轉。

8 放鬆臀部提升受孕能力

放鬆臀部的動作

臀部僵硬會引起腰痛。腰痛來自僵硬臀部，放鬆臀部能保護重要的腰部，亦能提升受孕能力。

1 仰躺（請參照第四十八頁），兩膝彎曲九十度，雙腳張開與肩同寬。腰部下面鋪墊子，不要直接躺在堅硬地面上。

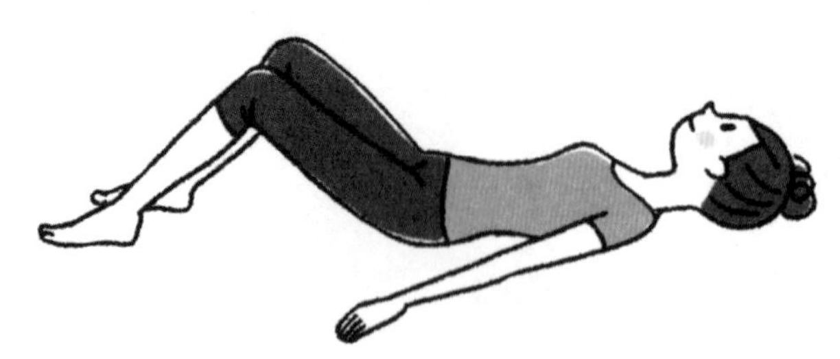

2 雙腳慢慢分別往右倒。右腳先倒，左腳隨後，依序進行。

3 雙腳回到中央，先移動左腳到中央，再移動右腳到中央。接著重覆 2 的動作，雙腳慢慢分別往左倒。左腳先倒，右腳隨後，依序進行。

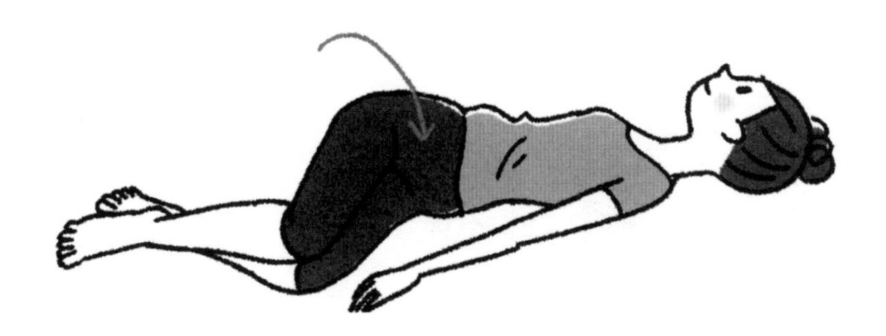

4 慢慢重複 2、3 動作十次。

重點

這是放鬆臀部的動作。臀部僵硬，腰部會痛，不僅無法改善骨盆腔血液循環，腰痛還會影響夫妻性生活。要提升受孕能力，必須放鬆臀部。左右腳倒下、回到原位的動作，雙腳不同時進行，是為了穩定腰部，減少腰部負擔。雙腳同時進行，腰部會不穩而容易受傷。

9 伸展體側及乳腺活化子宮與卵巢

增加上半身柔軟度的伸展動作

伸展肩膀、腰部、骨盆兩側，促進上半身的血液循環及骨盆腔功能。STEP 3 的動作可以刺激乳腺。

1 仰躺，膝蓋彎曲九十度，右腳疊在左腳上。

2 利用右腳重量，順勢使雙腳向右倒下，伸展背部至腰部、骨盆左側，靜止三十秒，接著拿開右腳，讓左腳先、右腳後地回到原位。

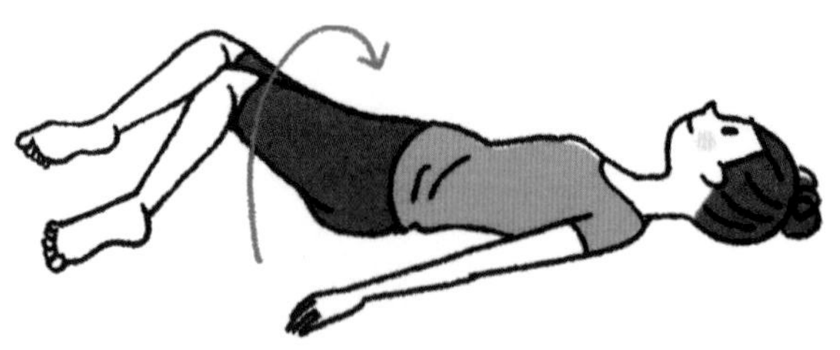

注意：肩膀勿離開墊子懸空，放鬆，兩肩著地。

3 換邊，重複相同動作。

1 仰躺，膝蓋彎曲九十度，右腳放在左腳上，與STEP 1 反方向，雙腳向左倒下。

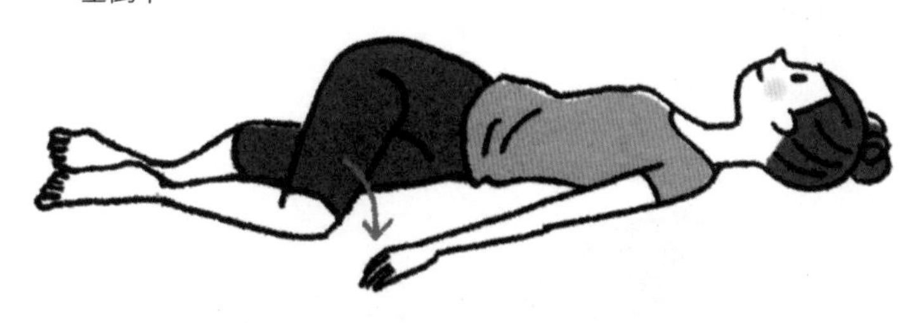

2 雙臂伸到頭上，十指握住，伸展到極限靜止三十秒，再放開。右腳從左腳上面移開，右腳先、左腳後，回到原位。

注意：右肩勿離開墊子懸空，若感覺肩膀被拉起，請稍微移動腳，使肩膀貼在墊子上。

3 換邊，重複相同動作。

重點

此動作可伸展背部、側腹、骨盆，促進全身血液循環。由於伸展的範圍較大，切勿勉強。請注意自己的身體狀況，尤其是 STEP 2，肩膀被拉起來是由於身體缺乏運動，肌肉緊繃，因此可多練習幾次，但別過於勉強。

1 仰躺，雙腳張開與肩同寬，膝蓋彎曲九十度，雙腳分別往右倒，右腳先倒，左腳隨後，依序進行。

2 先將雙手朝天舉直，接著一起倒向身體左側，臉隨著手臂動作轉向左側，維持三十秒。

3 左手沿著地面移動，把手臂伸到頭上，掌心朝上。肩頸放鬆，維持三十秒，再慢慢回復原來的姿勢。

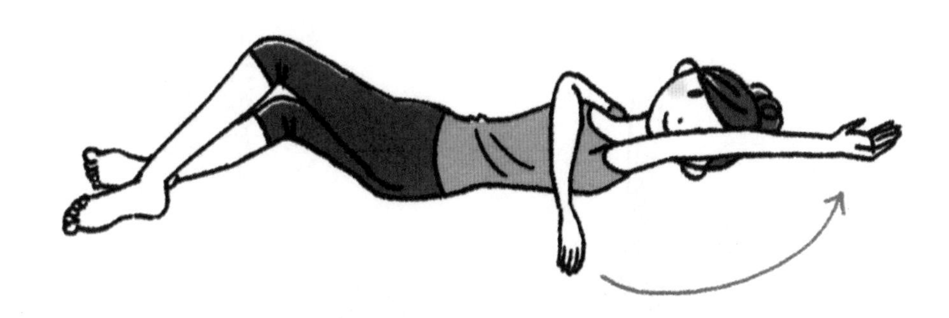

4 換邊，重複相同動作。

重點

STEP 3 的伸展力道比 STEP 2 更強，可進一步伸展背部、腰部、骨盆，改善上半身血液循環，手臂伸到頭上可刺激乳腺，有助活化卵巢與子宮。

10 改善血液及淋巴液循環 活動股關節

使股關節放鬆的「扭轉」動作

股關節匯集大血管和淋巴結，因此如果股關節僵硬會阻塞血液及淋巴液循環，使子宮與卵巢功能不良，請努力動一動股關節！

1. 仰躺，雙腳張開與肩同寬，膝蓋彎曲九十度，然後把右腳向上抬起伸直。

2. 右腳的大腿根部向內側扭轉，儘量把腳掌轉向自己。

注意：右腳膝蓋盡量伸直。

3 右腳的大腿根部向外側扭轉，儘量把腳掌轉向外面。

4 重複 2、3，「內、外、內、外……」重複十次以後，把右腳慢慢放回原位。

5 換邊，重複相同動作。

重點

腳向上伸直的時候，膝蓋不可彎曲，以免股關節無法順利轉動。膝蓋隨時保持挺直，腳便能伸直。如果難以自己轉動大腿根部，可請另一半幫忙（請參照第 108 頁）。股關節能順利轉動的人，可將另一隻屈膝的腳伸直貼地，效果更好。

11 提升受孕力的股關節體操

使股關節放鬆的「旋轉」動作

股關節的柔軟度，對夫妻性生活和不孕症治療很重要。請隨著體操，活動股關節，增加股關節的活動幅度吧！

1 仰躺，雙腳張開與肩同寬，膝蓋彎曲九十度，右膝靠近身體，右手按著膝蓋。脊椎骨要完全貼在墊子上。

2 右手按著膝蓋，以順時針轉動右側股關節，用膝蓋畫圓十次，接著反方向逆時針旋轉十次。

3 換腳，重複相同動作。

4 兩膝靠近身體，手按著膝蓋，使雙腳的股關節向內旋轉十次，接著再反方向向外旋轉十次。

重點

股關節的柔軟度對夫妻性生活及不孕症治療都很重要，能使撐著大肚子的孕婦生活變輕鬆，亦有助於生產，所以妳懷孕後也要繼續練習這個動作。此外，把手按著膝蓋是為了穩定腰部。如果只注意轉動股關節，腰部容易晃動造成疼痛。

1 仰躺，雙腳張開與肩同寬，膝蓋彎曲九十度，右腳向上抬高，膝蓋伸直。腳踝放鬆，雙臂放鬆，放在墊子上。

2 右腳尖在空中順時針畫圈。先畫小圈，依照妳的身體狀況，儘量畫大圈圈，順時針旋轉十次，再反向逆時針旋轉十次。

3 換腳，重複相同動作。

重點

這是增加股關節柔軟度、放鬆臀部的動作，能預防腰痛。用腳畫圈須依照身體的狀況，每天可能都不同，不舒服的時候可以畫小圈，狀況好的時候可以畫大圈。

腳部 Fitness
強化骨盆腔功能

促進下半身血液循環

讓我們抬腳做體操，促進下半身的血液及淋巴液循環，強化骨盆腔功能！這動作可以鍛鍊腹肌，亦有助於瘦腰。

1 仰躺，雙腳張開與肩同寬，膝蓋彎曲九十度，右腳向上抬高，膝蓋伸直，往身體方向拉近。

2 接著右腳朝反方向離開身體，與地面的夾角呈六十度。

3 重複 1、2，「前、後、前、後……」做十次。

4 右腳回到向上伸直的狀態，接著倒向身體右側。

5 右腳倒向左側。

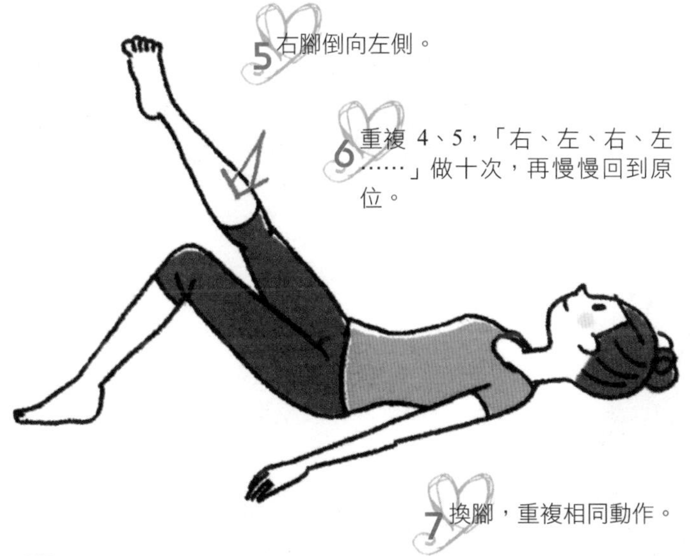

6 重複 4、5，「右、左、右、左……」做十次，再慢慢回到原位。

7 換腳，重複相同動作。

重點

1 可伸展腰部、臀部、大腿後側；2 可鍛鍊腹肌；4 可伸展大腿內側；5 可伸展腰部、臀部側面及大腿外側，整套動作充分活動骨盆周圍，促進骨盆腔的血液循環，若每個姿勢靜止三十秒可額外加強效果。2 的姿勢若能將腳放到離地面十公分之處，力量便會集中於腹肌，效果更好。

1 呈仰躺姿勢，膝蓋彎曲九十度，雙腳張開與肩同寬，先抬高右腳，再抬高左腳，膝蓋伸直。

2 雙腳伸直，向外張開，做「打開」姿勢。

3 雙腳回到中央合併，做「閉合」姿勢。

4 重複2、3，「開、合、開、合……」做十次。

5 接著將合併的雙腳打開，做「打開」姿勢，保持十至三十秒。

6 為避免身體疼痛，手扶著大腿外側，用手的力量協助腳合起來，再慢慢放下。

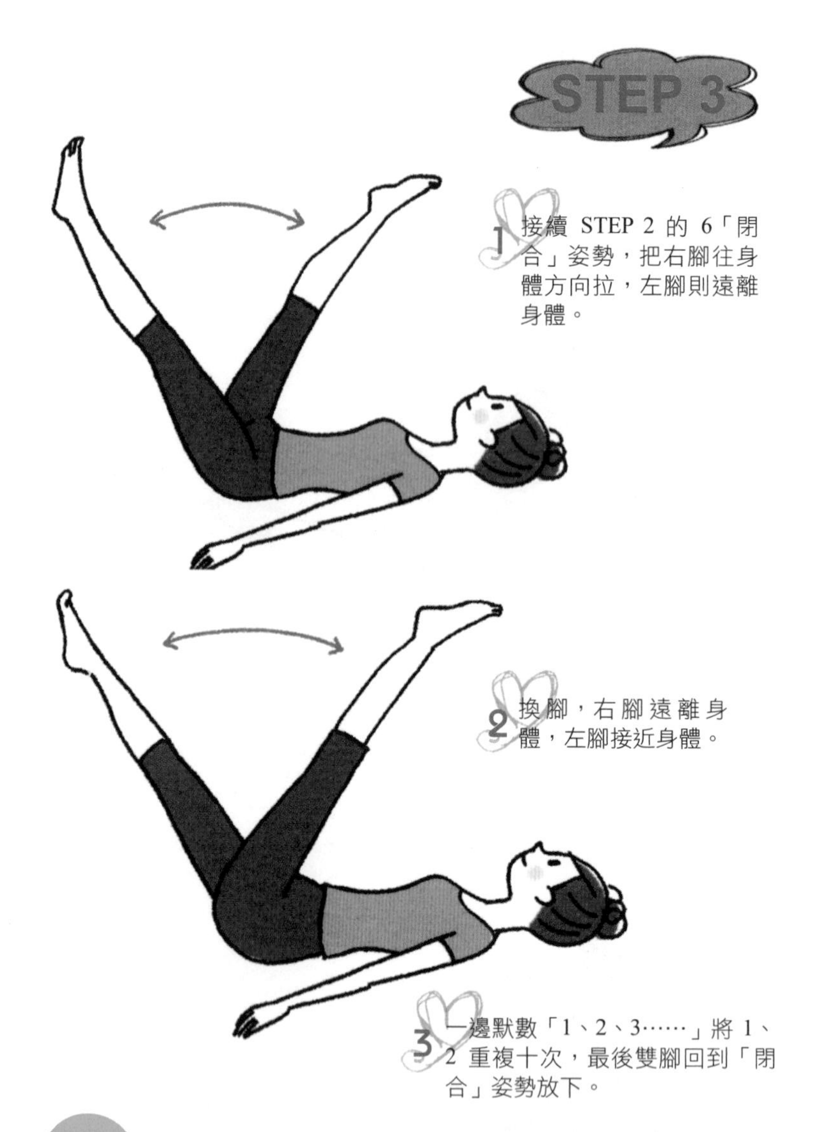

1 接續 STEP 2 的 6「閉合」姿勢，把右腳往身體方向拉，左腳則遠離身體。

2 換腳，右腳遠離身體，左腳接近身體。

3 一邊默數「1、2、3……」將 1、2 重複十次，最後雙腳回到「閉合」姿勢放下。

重點

腳部的淋巴液流經後腳跟、腿內側、大腿根部，往上到子宮。STEP 2、3 可伸展整隻腳的肌肉，鍛鍊大腿肌肉，促進子宮的淋巴液循環，活化子宮功能。雙腳做「打開」姿勢時，要記得伸直、保持平衡。

13 伸展體側及子宮、卵巢的肌肉

伸展體側及髖屈肌

讓我們伸展體側，促進血液循環，增加支撐子宮及卵巢的髖屈肌（hip flexors）的彈性。

1 身體朝左側躺，雙腳合併，膝蓋輕輕彎成「く」型。雙手手臂伸直貼住耳朵，掌心合併。

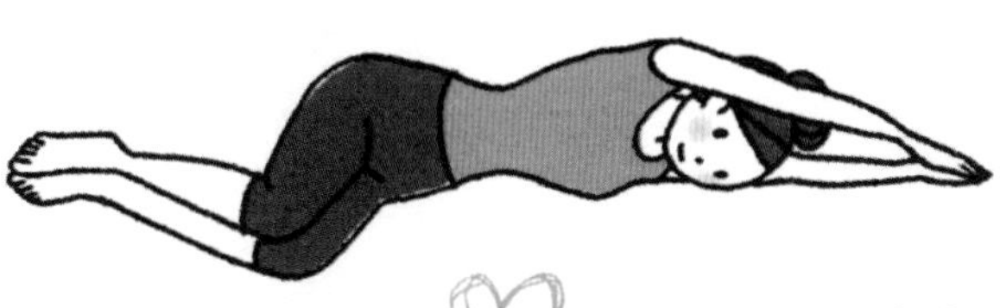

2 雙手手臂伸直，掌心合併向上伸展，到最高處保持三十秒。

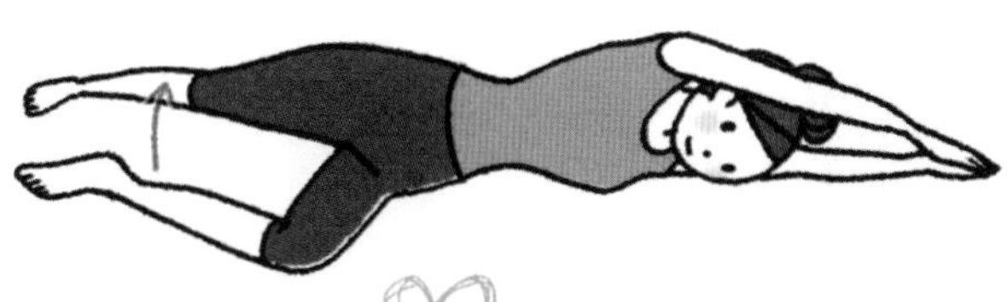

3 維持 2 的姿勢，將右膝伸直，右腳沿著地面慢慢往後拉伸至極限，保持三十秒再慢慢收回「く」型位置。

4 換邊，重複相同動作。

重點

2 可伸展手臂至骨盆側面的肌肉；3 可伸展髖屈肌。髖屈肌連接腰部及大腿骨，具有支撐肚皮的功能。請從現在起，增加髖屈肌的彈性吧！

14 減輕子宮與卵巢的壓迫

放鬆子宮與卵巢

人體臟器的重量，每天都壓在子宮和卵巢上。請每天做一次這個體操，放鬆子宮和卵巢，除去這種壓迫吧！

1 雙手撐地，雙膝跪地，手腳打開與身體同寬，手離膝蓋近一點。

2 腰背抬高拱起，頭往下垂，頸部放鬆，身體呈弧形，若頭暈可將臉抬起面朝前。保持三十秒，再慢慢回到1姿勢，身體與地面要保持平行。

3 臀部坐下，放在雙腳上，貼在後腳跟上。

4 雙臂與臉放下，貼著墊子，保持三十秒不動。

5 1～4 重複五次。2 與 4 的姿勢最好能保持三十秒，效果較好，但若做不到，保持十秒亦可。

注意：身體其他部分勿用力，手肘放鬆，肩膀別用力；臉部放鬆，別皺眉頭；大腿內側放鬆，雙腳別用力。

重點

2 可抬高、拱起腰背呈弧形，伸展背部；4 可伸展腰部、臀部到骨盆的肌肉，兩者皆可放鬆子宮與卵巢。我們每天的站姿或坐姿，都會使沉重的臟器壓在子宮與卵巢上，這個體操可讓子宮、卵巢的壓迫減少，得到放鬆。

STEP 2
1 雙手撐地，雙腳跪地，雙膝打開，雙腳拇趾靠攏，臀部靠在後腳跟上，身體下沉。
2 兩手手肘貼著墊子趴下。

3 雙臂盡量貼在墊子上，雙手交叉，頭靠在手上。

4 雙手貼著墊子，向前伸，靜止三十秒。1−4的姿勢請配合身體狀況，不要勉強。

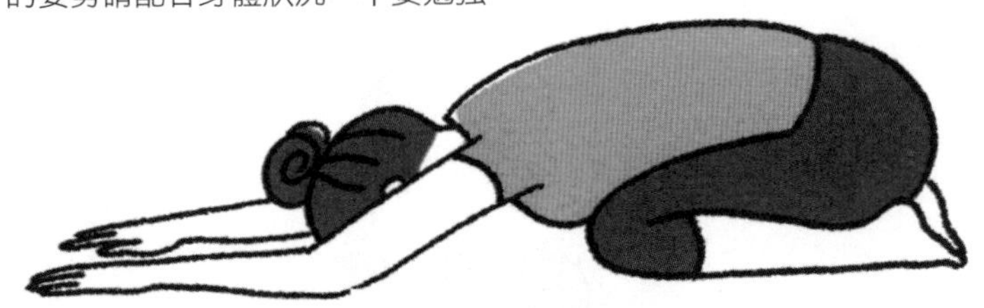

5 上半身先往上慢慢挺起，然後移動右腳，再移動左腳，變成蹲姿。

6 雙手在胸前合掌，腰部挺起、脊椎骨打直。雙肘放在大腿內側，靜止三十秒。

注意：背部勿彎曲！

重點

1−4 可放鬆子宮與卵巢。雙膝向外打開的姿勢，可加強伸展骨盆周圍的肌肉；6 用蹲式馬桶的姿勢，可伸展會陰部，放鬆骨盆。

15 伸展全身 全面活化子宮與卵巢

促進全身血液循環

這個動作伸展上半身、大腿及乳腺，促進骨盆腔的血液循環，活化子宮與卵巢，是好孕體操的招牌動作。

1 雙手撐地，左腳往前踏，右腳貼在地面上。

2 踏出左腳，身體往前傾。伸展右大腿前側、左側臀部到大腿後側的肌肉。

3 把左手放在左腳內側，右手慢慢舉起，向上伸直。用力伸展上半身的右側及乳腺。靜止十秒，再慢慢放下右手。

4 把左手再放在左腳背上，重做一次3的動作，右手向上，注意保持身體平衡。靜止十秒，再慢慢放下右手。

5 把左手再放在左腳外側，左膝接觸左腋，右手向上抬，盡量往上拉。用力伸展右大腿前側、左側臀部至大腿後側的肌肉。靜止十秒，再慢慢放下右手。

6 換邊，重複相同動作。

重點

這是好孕體操的招牌動作，伸展全身的肌肉，促進骨盆腔血液循環，活化子宮與卵巢等所有重要部位。充分活動，增加身體的柔軟度，促進血液循環，使體溫上升、流汗。這個動作完整性高，效果好，做的時候請保持身體平衡，以免歪倒。

16 緩和運動

子宮與卵巢 cool down

完成活化子宮與卵巢的十五個動作，最後請一起來放鬆子宮與卵巢，舒緩腰部與骨盆。

1 雙手撐地，雙膝跪地，手腳打開與身體同寬，手向膝蓋接近。

2 腰背抬高、拱起呈弧形（請參照第 88 頁）。靜止三十秒，再慢慢回到 1，注意身體與地面保持平行。

3 臀部放在雙腳上，貼著後腳跟，雙臂與臉貼著墊子，靜止三十秒。

4 慢慢用雙手撐起身體，兩膝向外張開，雙腳拇趾靠近，臀部靠在後腳跟上。配合身體狀況，以【14】STEP 2 的 1–4 任一個姿勢（請參照第 90、91 頁），靜止三十秒。

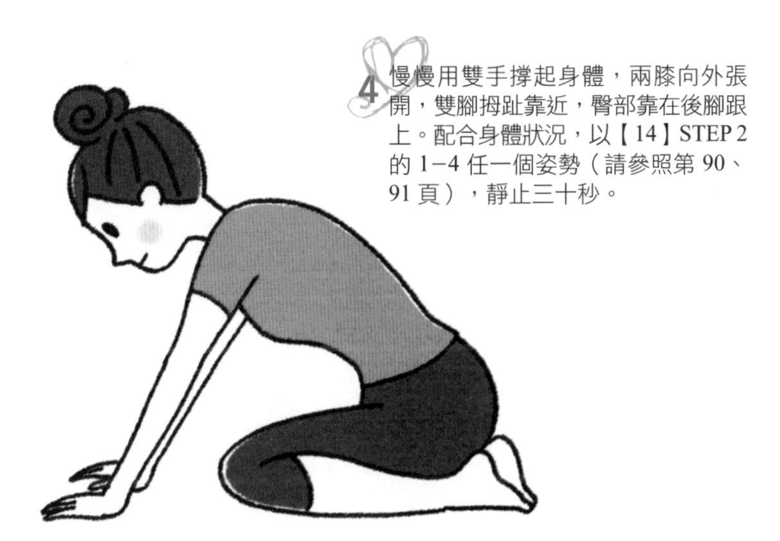

重點

認真做完好孕體操，最後我們要來舒緩身體，cool down 收操。2 可舒緩子宮及卵巢，背部越彎，腰部越舒服，子宮及卵巢越能放鬆。4 可進一步放鬆子宮與卵巢，伸展骨盆，讓腰部、子宮、卵巢、骨盆可以充分緩和！

第3章

雙人按摩，你儂我儂

相愛所生下的
嬰兒最幸福。
幫另一半按摩
是製造受孕機會的
好辦法！

好孕體操助妳打造自己的易孕體質，接下來我要教妳如何與另一半進行雙人按摩，肌膚相親，使彼此的身心更有助於生育。

本書為了方便，設定女性為按摩者，男性為被按摩者。實際操作時，可輪流享受按摩的樂趣。

1 基本按摩 消除肩膀痠痛與疲勞

肩膀與背部的「捶打」按摩

雙人按摩能使伴侶的心情平靜，有助於受孕，請和親愛的伴侶一起進行按摩，互相體貼。

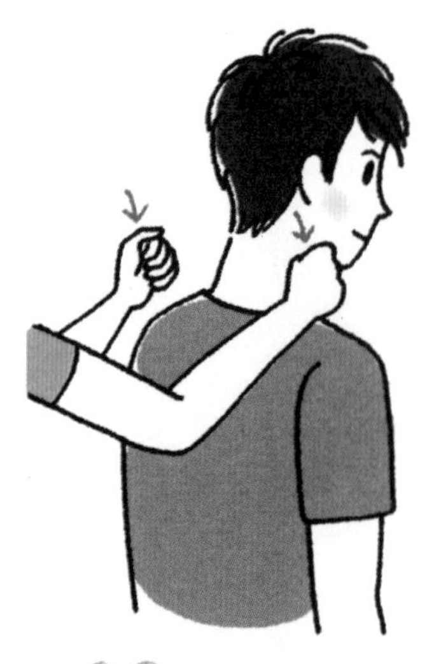

1 妳的雙手握拳，有節奏地捶打對方的肩頸交接處，到手臂與身體的交接處，按摩整個肩膀，做三十秒。

2 妳的雙手握拳，有節奏地捶打對方的肩膀到腰部的脊椎骨兩側，做三十秒。

3 妳的左手放在對方的左肩後方，右手呈手刀狀，有節奏地捶打他的右側肩胛骨（背部上方，左右兩側的倒三角形大骨）與脊椎骨之間的線條，做三十秒。接著換手，重複相同動作。

注意：請對準肩胛骨與脊椎骨之間的線條！

重點

肩膀痠痛令人全身疲勞，若脊椎骨兩側、肩胛骨與脊椎骨中間僵硬，會造成強烈的肩膀痠痛。除了捶打按摩，按壓消除肩膀痠痛的穴位也很有效，能使全身舒暢，但是頸部和背部的脊椎骨，不可捶打或用力壓。

2 療癒效果驚人的「摩擦按摩」

肩膀與背部的「摩擦」按摩

雖然是利用摩擦的簡單技巧，但放鬆效果很好，能讓兩人確切感受到彼此的關懷。

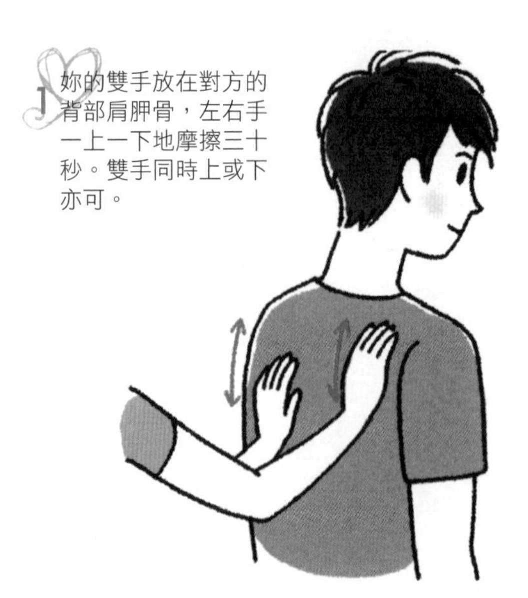

1 妳的雙手放在對方的背部肩胛骨，左右手一上一下地摩擦三十秒。雙手同時上或下亦可。

2 妳的雙手放在對方的背部中央，手掌依序摩擦背部中央、肩膀，再到腰部，左右手一起畫一個大心形，重複十次。

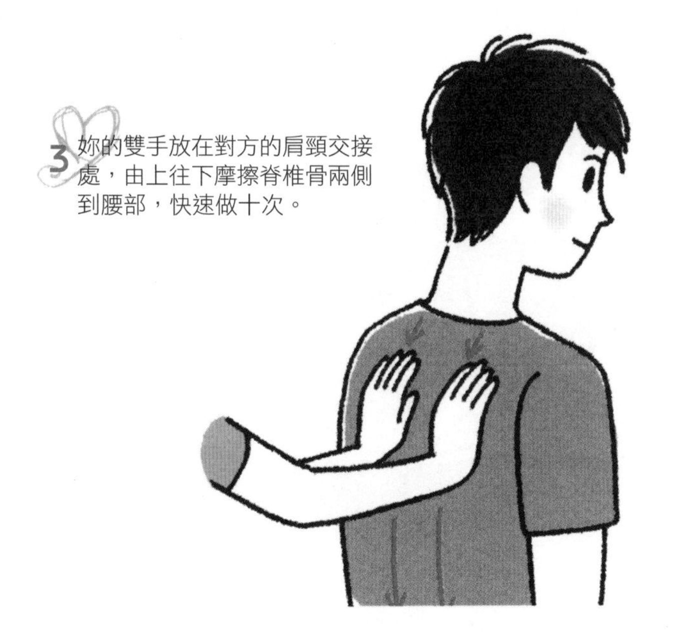

3 妳的雙手放在對方的肩頸交接處，由上往下摩擦脊椎骨兩側到腰部，快速做十次。

重點

手掌的摩擦按摩重點在於手掌要緊貼背部。用手掌觸摸對方的身體，可以傳達愛意。背部有許多讓人放鬆的穴位，所以摩擦背部的按摩雖然簡單，療癒效果卻十分顯著，令人感覺非常舒服。

3 伸展肩膀肌肉 痠痛一掃而空

促進肩膀血液循環

這個動作能改善肩膀的血液循環，效果極佳。單獨做體操，有些動作自己不方便，因此可借助他力，會變得容易，請夫妻輪流，幫助對方做做看。

1 請對方盤腿坐好，背對妳，將兩邊手肘盡量往後彎，妳將他的兩肘互相拉近，壓住手臂三十秒。

2 對方將雙臂往背後伸，雙手合掌，妳抓住他的手腕，用力慢慢向後拉。最好持續三十秒，但勿勉強，施力要在他覺得舒服的範圍內。

注意：拉手的時候
請他收下巴。

3 請對方用比 2 大的力氣將肩膀往後伸展。妳將自己的慣用腳，放在他的背上，一邊用腳踩背部，一邊拉手臂。拉的時候請他深呼吸，他用鼻子深深吸氣時，妳拉手臂，他用口吐氣時，妳放鬆拉手臂的力道，重複五次。

4 再做 1 一次。這次對方的兩肘會比剛才靠得更近。

5 請他面對妳，盤腿坐好，向前伸出雙臂，掌心向下抓住妳的手臂；妳的手掌朝上抓住他的手臂，兩腳抵著他的雙膝，拉住他的手臂。請他肩膀要放鬆，眼睛向下看他自己的肚臍，他的腰部盡量往後拱。妳拉著他的手臂，他將自己的腰部往後拱，維持這個姿勢三十秒。

重點

1 — 4 可伸展肩膀，增加肌肉彈性，改善血液循環；5 可擴展肩膀和腰部。即使妳力道很輕，對方還是可能覺得太大力，請務必問他：「會不會痛？」、「會痛要喊停喔！」勉強用力只會使身體受傷，做體操要得到最大效果，必須在對方覺得可以承受的範圍內。

4 按摩臀部 伸展下半身

促進下半身血液循環

這個動作可按摩臀部、伸展下半身，改善血液循環，對女性而言，有助於促進骨盆腔血液循環；對男性而言，有助於消除下半身疲勞。

1. 請對方趴在地上，妳雙腳跪立、跨在他的大腿兩側，妳的臀部懸空，不要壓到他，以妳自己覺得穩固的姿勢進行按摩。

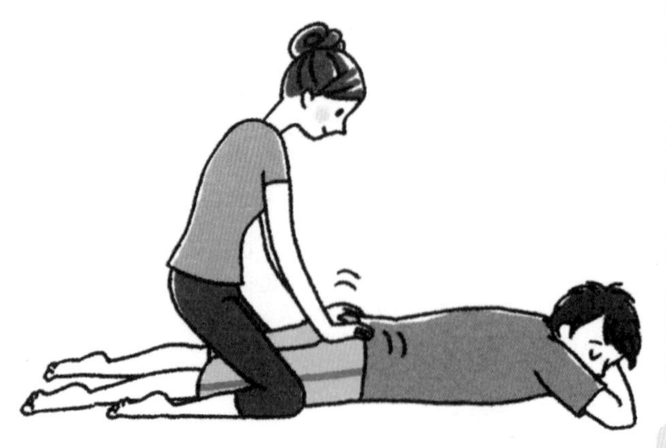

2. 妳的雙手手掌放在對方的臀部，以畫圓按摩整個臀部三十秒。待他適應以後，再改用手掌根部（掌心下方鼓起的部分）按摩。

3 將對方的雙腳打開，妳跪在他的兩膝中間。

4 抓住對方的腳踝，先彎折他的右腳，再彎折左腳，讓他雙腳的大拇趾輕輕重疊。

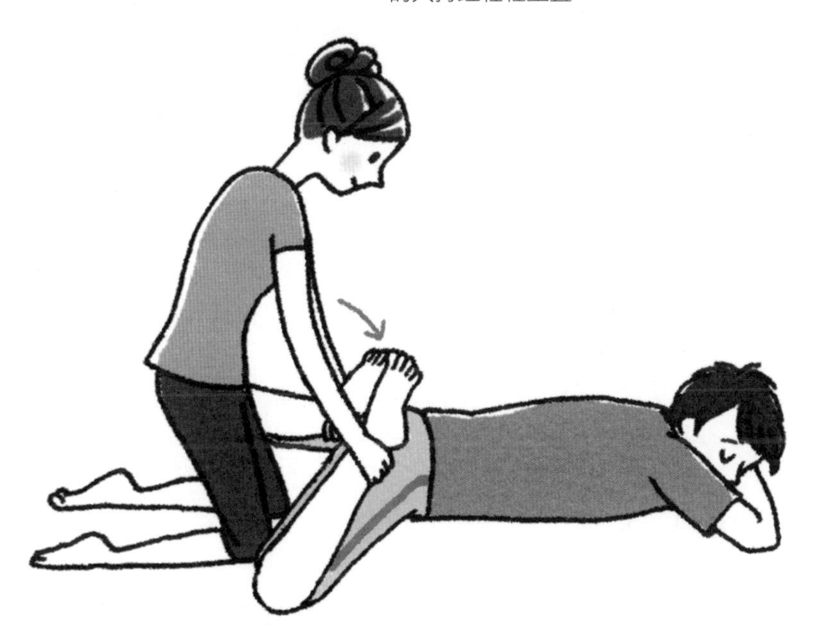

5 將對方的後腳跟慢慢壓向他的臀部，靠著臀部，維持三十秒。

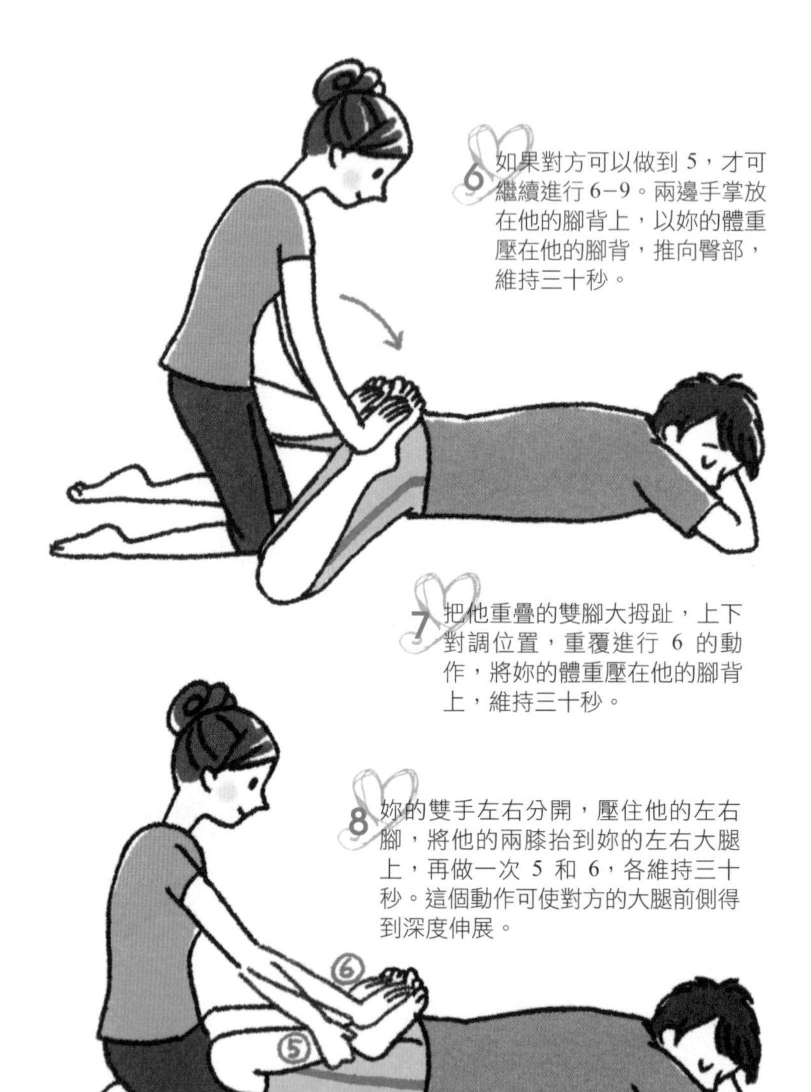

6 如果對方可以做到 5，才可繼續進行 6–9。兩邊手掌放在他的腳背上，以妳的體重壓在他的腳背，推向臀部，維持三十秒。
7 把他重疊的雙腳大拇趾，上下對調位置，重覆進行 6 的動作，將妳的體重壓在他的腳背上，維持三十秒。
8 妳的雙手左右分開，壓住他的左右腳，將他的兩膝抬到妳的左右大腿上，再做一次 5 和 6，各維持三十秒。這個動作可使對方的大腿前側得到深度伸展。
⑥
⑤

注意 1：由於男性肌肉較多，臀部與後腳跟較難貼近，請勿勉強，依步驟執行即可。

注意 2：不要把對方的骨盆抬離地面。

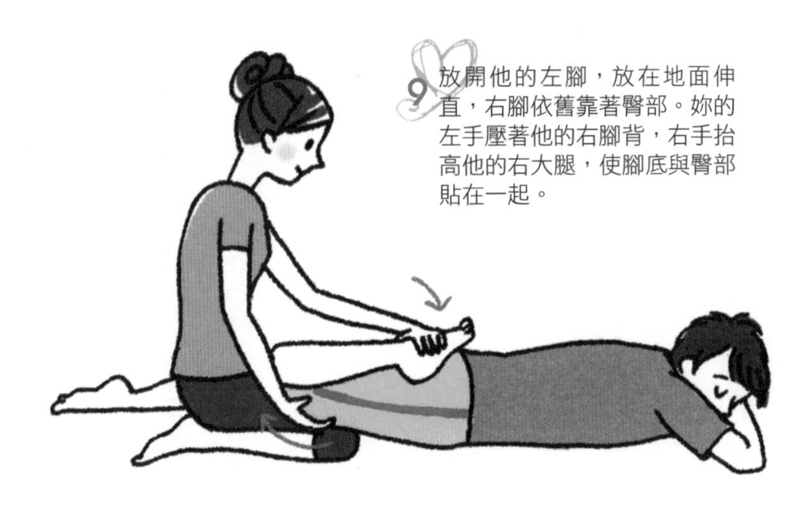

9 放開他的左腳，放在地面伸直，右腳依舊靠著臀部。妳的左手壓著他的右腳背，右手抬高他的右大腿，使腳底與臀部貼在一起。

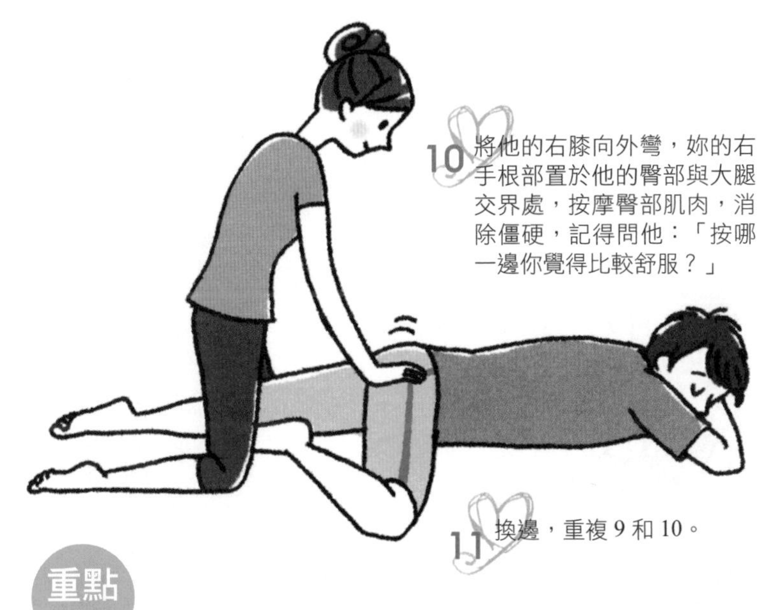

10 將他的右膝向外彎，妳的右手根部置於他的臀部與大腿交界處，按摩臀部肌肉，消除僵硬，記得問他：「按哪一邊你覺得比較舒服？」

11 換邊，重複 9 和 10。

重點

由於男性肌肉較多，腳底和臀部較難貼近，5 的動作千萬不可勉強。6–9 的拉伸力道會更強，可完成動作 5，再繼續進行。2 和 10 做起來很舒服，除了防止腰痛，還能刺激子宮及骨盆，建議每天進行。

5 活動股關節 提高男女生育能力

增加股關節柔軟度的「扭轉」動作

這個動作用來活動股關節，改善腳部容易阻塞的血液及淋巴液循環，除了消除腳部疲勞、浮腫，還有助於活化女性骨盆腔，提高男性精力。

1 使對方仰躺，全身放鬆，雙腳彎曲九十度。

2 妳用單手按住對方的右膝，以他的身體支撐，抬高右腳，挺直膝蓋。請他的腳放鬆，別出力，舒服地伸展大腿後側肌肉。

3 妳的身體靠近對方向上伸直的腳，以單手按住他的膝蓋，另一手托住他的腳踝，將他的整隻腳緩慢向內側轉，做出膝蓋朝外、後腳跟朝內的「向內」姿勢。

4 妳用手將對方的股關節緩慢地向外側轉，做出膝蓋朝內、後腳跟朝外的「向外」姿勢。

5 妳幫助對方慢慢做 3 和 4 的動作，「向內、向外、向內、向外……」重複四次，接著妳撐住他的膝蓋，將他的腳慢慢放回地面上，雙腳彎曲九十度。

6 換腳，重複相同動作。

重點

股關節不再僵硬，腳部血液及淋巴液循環會變順暢，消除浮腫。這個動作和好孕體操第十招（請參照第 78 頁）一樣，自己很難做到，但借助彼此的力量便能輕鬆完成。妳必須使出相當的力氣，對方才會覺得舒服，請一邊做動作，一邊問他感覺如何，不要讓他感到痛。

6 兩人手拉手伸展下半身

促進下半身血液循環

兩人互相幫助來伸展下半身，比自己一個人做體操，能得到更好的效果。

1 妳和對方背貼著背站立。兩人都將雙腳張開與肩同寬，各向前踏出一步。

2 兩人的上半身都盡可能地往下彎，彼此的臀部互靠。

3 兩人的手穿過彼此的雙腳中間，互相拉著。

4 兩人的頸部放鬆，彎腰使頭朝下，兩人都往前踏，把手伸直，接著將彼此的手互相往外拉，維持三十秒。

5 兩人放開彼此的手。將自己的手放在膝上，輕輕彎曲膝蓋，使背部呈弧形（請參照第八十八頁），接著慢慢直起身體。

注意 1：做動作 4 時，請勿屈膝，勿放開對方的手。

注意 2：為了保護腰部，避免起身時感到頭暈，請按照動作 5 的方式起身。

重點

自己很難做到的體操動作，借助對方的力量便能輕鬆完成。與心愛的伴侶一起挑戰，不僅有趣，伸展效果也更好，可徹底伸展腰部、臀部、大腿、膝蓋、小腿、跟腱（腳跟與小腿之間的肌腱）的肌肉。此外，彎下腰、倒著看自己平時看慣的臉龐，感覺會很新鮮。

7 伸展上半身 活化乳腺與卵巢

促進上半身血液循環

夫妻平時很難有機會背靠著背，請一邊感受對方的體溫，一邊活動上半身吧！

1 妳和對方背靠背站立。兩人都將雙腳打開，維持一個步伐的寬度。緊靠彼此的背部、臀部及後腳跟，牽起彼此的雙手。

注意：腰向後彎的動作容易使人受傷，兩人的背部務必緊靠，以免造成腰部的負擔。

3 角色對調，重複相同動作。

2 兩人的雙手在空中畫一個圓，將牽著的雙手抬高，向上伸。對方慢慢彎下腰，使上半身前傾。妳將頭靠著他的頭，腳掌踩在地上，後腳跟勿離開地面。請對方在妳能接受的範圍內，盡量往下彎腰，幫助妳向後伸展。這個動作最好維持三十秒，若難以做到，十秒亦可。

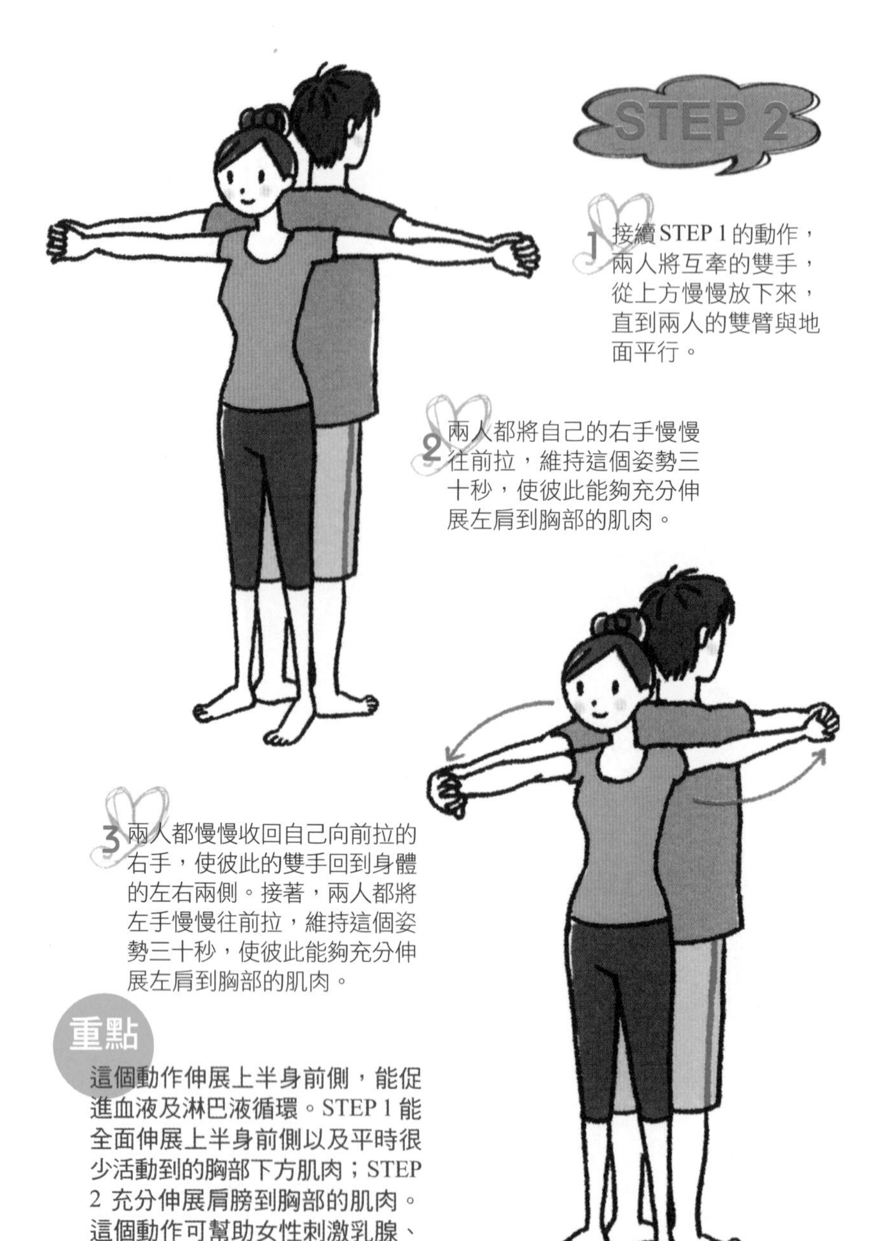

STEP 2

1 接續STEP 1的動作，兩人將互牽的雙手，從上方慢慢放下來，直到兩人的雙臂與地面平行。

2 兩人都將自己的右手慢慢往前拉，維持這個姿勢三十秒，使彼此能夠充分伸展左肩到胸部的肌肉。

3 兩人都慢慢收回自己向前拉的右手，使彼此的雙手回到身體的左右兩側。接著，兩人都將左手慢慢往前拉，維持這個姿勢三十秒，使彼此能夠充分伸展左肩到胸部的肌肉。

重點

這個動作伸展上半身前側，能促進血液及淋巴液循環。STEP 1能全面伸展上半身前側以及平時很少活動到的胸部下方肌肉；STEP 2 充分伸展肩膀到胸部的肌肉。這個動作可幫助女性刺激乳腺、活化卵巢；伸展肩膀周圍的肌肉，可幫助消除肩膀的痠痛。

8 配合彼此的呼吸進行雙人蹲立運動

強化下半身肌力

必需兩人合作才能達成懷孕的目標，所以請夫妻互相配合，一起活動下半身的肌肉吧！

1 妳和對方背靠背站立，勾住彼此的手臂，各自往前半步。

2 兩人同時輕輕往下蹲，不用蹲得太低，再一起慢慢站直。兩人一同唸口令：「下、上、下、上」互相配合彼此深呼吸的節奏，重複蹲下、起立的動作兩次。

3 兩人再次往下蹲，這一次數完八秒再一起慢慢站直。

注意：往下蹲時，注意不要讓自己的膝蓋向內，請讓膝蓋朝向正前方。

重點

這個動作的大腿前後側肌肉及臀部周圍肌肉要施力，不是為了鍛鍊肌肉，而是為了促進血液循環，所以輕輕往下蹲即可。兩人一起蹲下、起立，比自己做困難，所以請配合口令與呼吸的節奏一起做，這一點突顯懷孕與生產非常需要夫妻同心協力！

9 兩人保持平衡伸展全身

促進全身血液循環

請兩人互相配合，取得平衡，一起伸展全身肌肉吧！

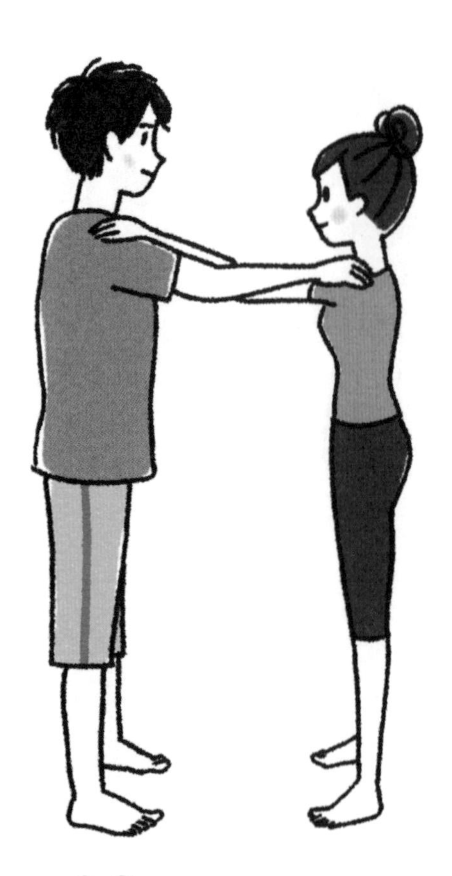

1 妳和對方面對面站立，彼此之間隔著兩步的距離，將自己的左右手放在對方左右側的肩上。

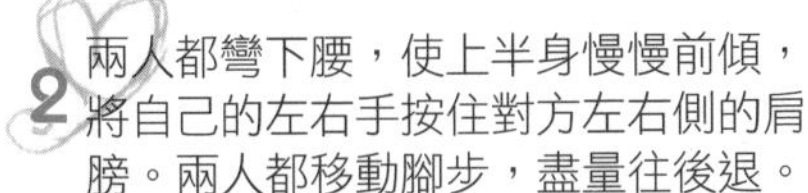

2 兩人都彎下腰，使上半身慢慢前傾，將自己的左右手按住對方左右側的肩膀。兩人都移動腳步，盡量往後退。

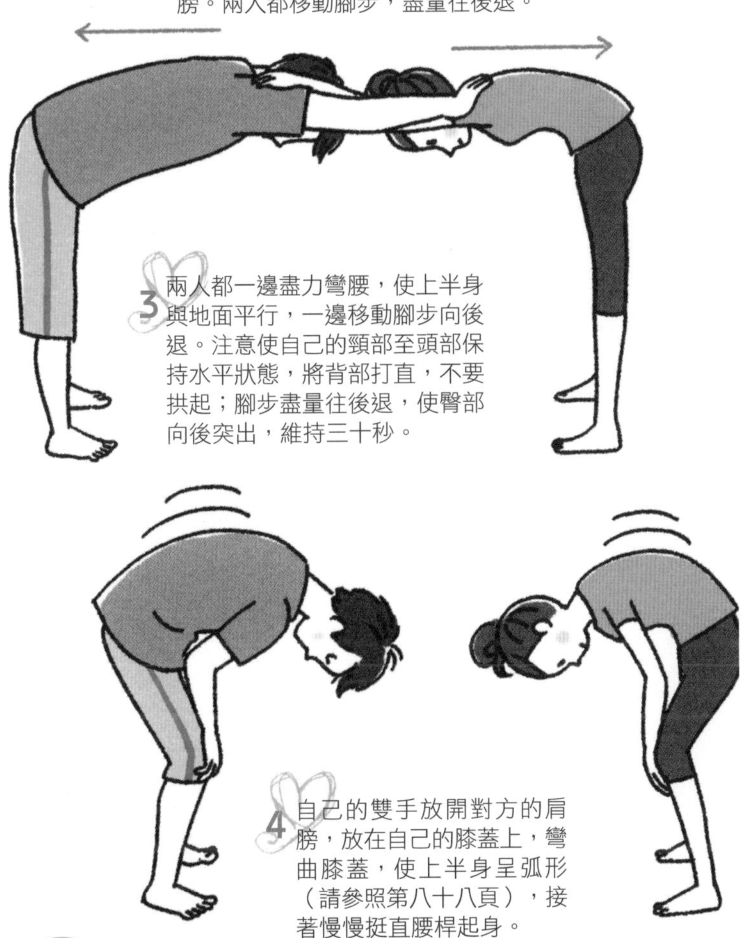

3 兩人都一邊盡力彎腰，使上半身與地面平行，一邊移動腳步向後退。注意使自己的頸部至頭部保持水平狀態，將背部打直，不要拱起；腳步盡量往後退，使臀部向後突出，維持三十秒。

4 自己的雙手放開對方的肩膀，放在自己的膝蓋上，彎曲膝蓋，使上半身呈弧形（請參照第八十八頁），接著慢慢挺直腰桿起身。

重點

這是最後一招雙人伸展動作。請伸展全身的肌肉，包括背部、上半身前側、手臂、腳部、臀部等，以促進全身血液和淋巴液循環。這個動作需要平衡感，請兩人互相配合取得平衡，舒服地伸展全身。身體僵硬，會很難使上半身維持與地面平行的狀態，但按照步驟執行體操，便能增加肌肉的彈性，使自己完成這個動作。

第4章

何謂不孕症治療？
好孕體操的效果如何？
這些問題，
請不孕症治療的
權威醫師來為妳解答。

專科醫師談不孕症治療及好孕體操

日本ＩＶＦ ＮＡＭＢＡ醫院院長　森本義晴　醫師

日新月異的輔助生殖科技

世界首例人工體外受精（卵子在培養皿受精，再將受精卵移回子宮）於一九七八年成功，這位誕生於英國的嬰兒，名叫露易絲・布朗，是人工輔助生殖科技的一大進步。布朗小姐現在亦為人母，於二〇〇六年十二月，自然產下男嬰。

目前日本以體外受精方式誕生的嬰兒已超過十萬人，居世界第一，每五十五個嬰兒中，有一人的生命來自體外受精。

輔助生殖科技日新月異，蓬勃發展。科技進步幫助許多期盼生子的夫妻，使眾多無比珍貴的新生命誕生，我身為一名醫療人員，為此感到非常高興。

然而，此事也反映為不孕憂愁的女性逐年增加。不知道可借醫療之力懷孕，而獨自煩惱的人應該不少吧。

卵巢產生卵子的時間有限，每個人的卵巢功能雖然差異很大，但平均超過四十二歲，受孕率便會降低，非常無可奈何。

不孕的三大原因

目前世界衛生組織將「二年以上沒有採取避孕措施，仍無受孕的狀態」定義為「不孕」，日本每十對夫妻，即有一對符合。

現今的日本，不孕與借助醫療之力受孕的現象很普遍。想懷孕，最重要的是先找到值得信賴的醫師，檢查不孕的原因。

據推測，不孕的問題，女性因素約佔40％，男性因素約佔40％，男女共同因素約佔15％，剩下的5％則不詳。

阻礙懷孕的原因有哪些呢？不孕的原因可分三類，我稱為「不孕的三大原因」，現在就逐一為各位介紹吧。請看第一二四頁的圖。

❶輸卵管異常

輸卵管是卵子及精子的通道，受精卵通過此處，進入子宮。輸卵管非常細，易受分泌物與發炎影響而阻塞、變窄，因此阻礙卵子、精子或受精卵的通行，造成不孕。

另一個常見的輸卵管異常是捕捉卵子障礙。輸卵管末端為海葵狀的輸卵管漏斗部（Fimbria），會將卵巢排出的卵子捕捉進輸卵管。若輸卵管漏斗部無法正常運作，以致無法捕捉卵子便叫「捕捉卵子障礙」。

❷排卵異常

無法順利排卵造成不孕的狀況很多。

女性在排卵前，腦下垂體會分泌濾泡刺激素（FSH），使卵巢分泌雌激素，促進排卵。若這一連串過程無法順利進行，便為排卵異常。

此外，多囊性卵巢症候群指卵巢表面硬化，卵子無法跑到外面去，這也是不孕症的原因。

❸男性因素

過去男性造成的不孕佔25%，現在不孕的問題則多半出在男性。問題主要在精子的狀態，原因有三：精子濃度低的「少精症」，精子活動力低落的「精子無力症」，以及精子形狀不全的「畸形精子症」。

精子的狀態為什麼會出問題呢？原因大部分屬於先天性因素，外傷、病毒性疾病或遺傳只佔小部分。

許多男性不喜歡做精液檢查，有人認為精子狀態等於健康狀態，不過其實毫無關係。精子的狀態與先天因素有關，並非個人問題。

什麼原因造成先天性障礙呢？很遺憾，確切原因不明。我想應與食品添加物、農藥、大氣汙染等環境因子關係密切。

除了這三大原因，還有許多因素，如抗精子的抗體問題。人體有防止病菌等異物侵入，及攻擊、消滅異物的免疫功能，會製造抗體與病菌戰鬥。然而，女性有時會製出對抗精子的抗體，若有精子進入女性身體，抗體便攻擊精子。

「高泌乳激素血症」指沒有懷孕，身體還是分泌泌乳激素，這樣會阻礙受精

不孕的三大原因

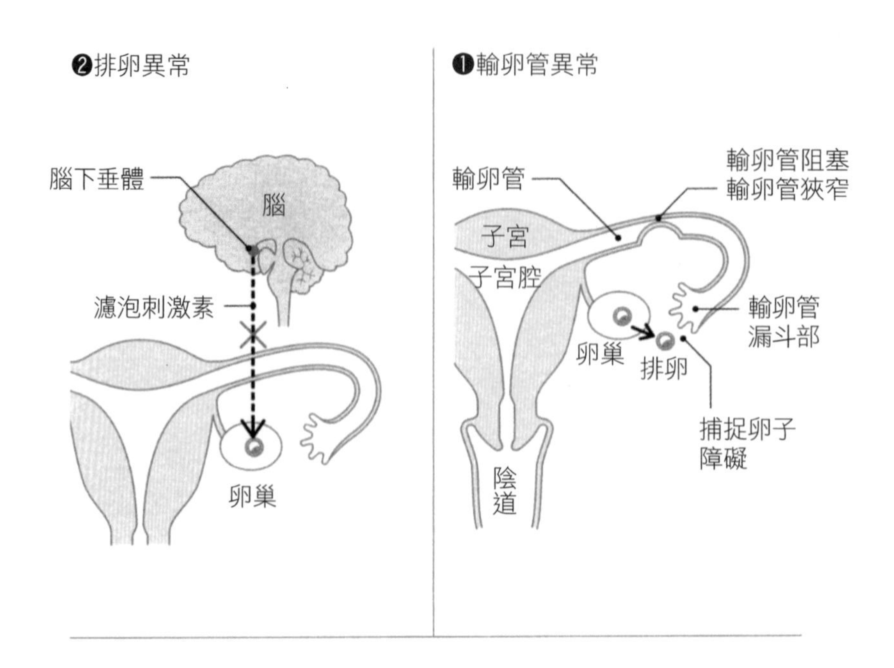

❸男性因素

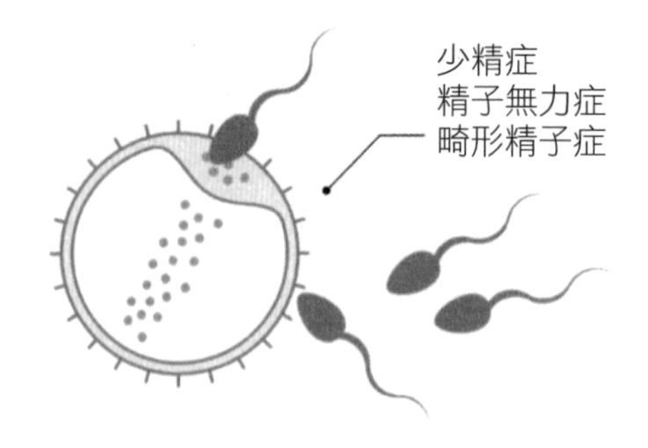

卵著床或導致流產。

很多夫妻無法檢查出明確的不孕原因，誤以為「原因不明」等於「正常」，這個想法是錯誤的。檢查找不到原因，可能是因為現代醫學不夠進步。請各位瞭解，即使檢查結果為「原因不明」，也不能算「正常」。不少夫妻因誤解而錯過懷孕的關鍵時機。

即使找不出原因，也能設定以六個月懷孕為目標，透過人工授精（將精液直接注入子宮）、體外受精來達成目的。

另外，近幾年女性越來越常罹患子宮內膜異位症（子宮內膜長到子宮外側的疾病）及子宮肌瘤（子宮內側的良性腫瘤），這些都會阻礙懷孕。

不孕症治療的現狀

檢查得到不孕的原因，便可採取相應的方法來提高受孕機率。

治療不孕症的醫療一般稱為「不孕症治療」，可分為二大類：

❶一般的不孕症治療

用傳統的方法，而非最先進技術的治療法。

・時機療法：預測排卵日，夫妻配合時機行房的療法。因此如何正確預測排卵日極為重要。

・人工授精：將精液注入子宮的療法。作法有二，一種將精液直接注入，另一種則清洗、濃縮精液，製成精子的「菁英部隊」再注入子宮。

❷輔助生殖科技

運用最先進的醫療技術，協助受孕。現在的培養液很進步，可培育受精卵到著床前的狀態，再移回子宮，確實提升成功受孕率。

・體外受精：將卵子及精子放入同一容器，進行受精，再將受精卵移回子宮。

・單一精子卵質內顯微注射：將一個精子放入取得的卵子，受精以後再將受精卵移回子宮。這個方法只需要一個正常的精子就能達成受精，即使是重度男性

不孕治療法的種類

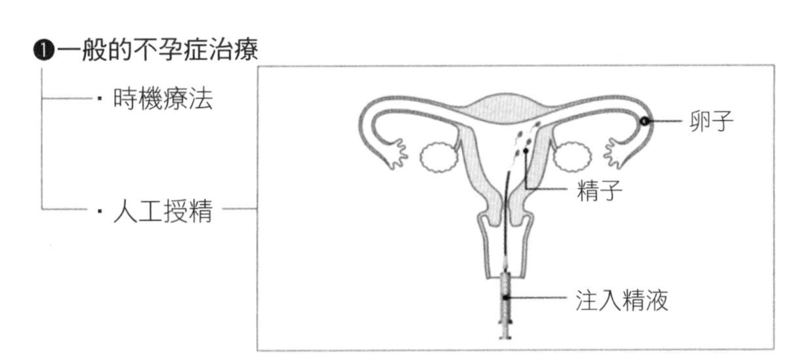

❶一般的不孕症治療
・時機療法
・人工授精
卵子
精子
注入精液

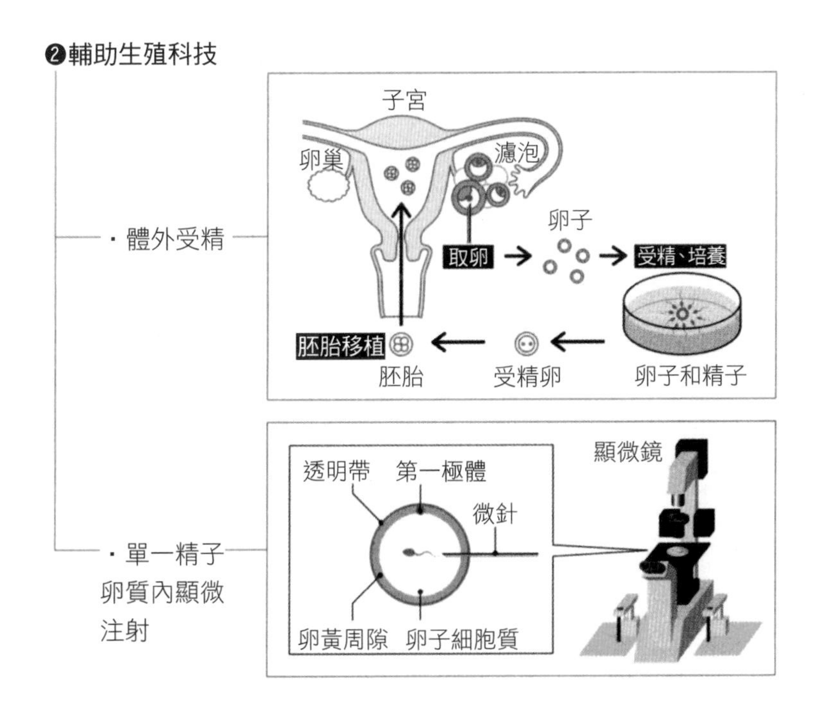

❷輔助生殖科技
・體外受精
子宮
卵巢
濾泡
卵子
取卵
受精、培養
胚胎移植
胚胎
受精卵
卵子和精子
・單一精子卵質內顯微注射
透明帶
第一極體
微針
顯微鏡
卵黃周隙
卵子細胞質

不孕症，也能提高受孕機率。

近年輔助生殖科技不論是技術或設備、藥物、培養液等，都不斷發展進步，使成功受孕率確實提高。

日本施行體外受精之初，成功受孕率約為10％，現已提升至20～40％。

本院透過輔助生殖科技的成功受孕率超過50％，可謂世界之冠，我們的治療以最晚一年內懷孕為目標。

本院靠時機療法成功受孕的夫妻，佔全體患者20～30％，人工授精佔10％。加總起來，本院約有90％的患者成功受孕。

選擇醫師的重點

借助醫療之力懷孕，重要的是如何選擇醫師。

輔助生殖科技處理極微小的細胞（卵子與精子），而接受此種微型醫療的是一心想擁有孩子的夫妻。我們是身心連動、交互作用的綜合體，若只注重微小的卵子與精子，無法提高受孕能力，應該找能為患者做整體性診療的醫師。

妳可將醫師能否清楚說明複雜的訊息，列為選擇醫師的重點。由於不孕症治療使身體承受疼痛，而且所費不貲，如果因醫師沒有清楚說明，而無法得到如願的結果，只會徒增對醫師的不信任、不滿。

壓力是阻礙懷孕的最大障礙。過度的壓力會影響荷爾蒙分泌，尤其是女性的腦下垂體，妨礙排卵。

此外，壓力使身體僵硬，讓受精卵無法順利著床。即使用優異的先進技術，患者的身心不是適於懷孕的良好狀態，便很難得到好結果。

本院會向接受體外受精的患者做一小時的詳細說明，包括副作用的問題，讓患者沒有疑慮，信賴工作人員，如此治療才會有好結果。

若有感覺不錯的醫療機構，請先掛號聽聽醫師怎麼說，觀察醫護人員的態度及熱忱，確認是否可信賴。

此外，選擇好的醫療機構很重要。以精液檢查為例，不同的醫療機構，檢查的準確程度不同。我常聽說原本診斷精子無異常，但在別家檢查結果卻相反的情設備、可接受哪些治療、成功受孕率如何等。

形。選擇一家好的醫療機構，不能只相信風評，還要仔細聽院方說明他們有哪些

對男、女皆有效的好孕體操

輔助生殖科技運用最先進技術及科學，進行醫療，不過懷孕是個自然過程，不論是體外受精還是自然受精、著床，都得靠自然之力。

因此，提高受孕能力，最重要的是利用身體的自然治癒力。「自然治癒力」指人體天生具有的治療能力，亦即生命力。

本院多年來致力於整合醫療，希望提供患者整體性診療，透過各種方法提高患者的自然治癒力，建立適於懷孕的身心，進一步提高輔助生殖科技的可能性。

本書作者竹內邦子老師，具有運動治療師的專業執照，在院內教授好孕體操。

我和竹內老師早在一九九〇年開設好孕體操課程。當時，我任職的醫院已開

始進行體外受精，成功率為30％，當時已屬世界頂尖。但考慮到患者的心理壓力及高額費用，成功率30％的體外受精對患者來說，壓力實在太重。我的目標是把成功率至少提高到50％。

當時日本國內進行體外受精的醫療機構有限，在我任職的醫院做體外受精要等半年，期間患者並非只在家裡等，院方希望患者能每週做一次助孕運動，讓身心保持健康狀態。

那時我認識了竹內老師。我想若能將竹內老師豐富的運動知識，與不孕症治療結合，應該可以得到優異的成果。因為透過運動療法改善患者體質、抵抗老化，患者的身心會更容易接受先進的醫療。

好孕體操的目的是讓子宮及卵巢放鬆，也有助於改善血液循環。卵巢的血液循環不良，會阻礙卵子的發育；子宮的血液循環惡化，受精卵的著床率會降低。所以，以好孕體操改善血液循環，使子宮與卵巢放鬆，能提升患者的受孕能力。

此外，我也推薦男性一起來做好孕體操及雙人按摩。男性不孕症的患者全身的血液循環若不通暢，大腦的命令無法送至睪丸，採精便無法得到足夠的健康精子。透過體操、按摩就可以改善全身血液循環，促進睪丸的血液循環，提升造精能力。

結合「好孕氣功」效果更佳

好孕體操的課程中，我還舉辦可以激發潛能，提高自然治癒力的「好孕氣功」。

好孕氣功改良自中國的氣功「小周天」，適於不孕症治療，以宇宙能量改善人的「氣、血、水」循環。

「氣、血、水」是東方醫學的概念。氣指有關於神經系統、內分泌系統、免疫系統等的生命能量，血指血液及功能，水指血液以外的淋巴液等體液。

東方醫學認為「氣、血、水」循環要均衡、順暢，才算健康，即自然治癒力高，反之，此循環若失衡、異常，身體會出現種種不適。

好孕氣功步驟

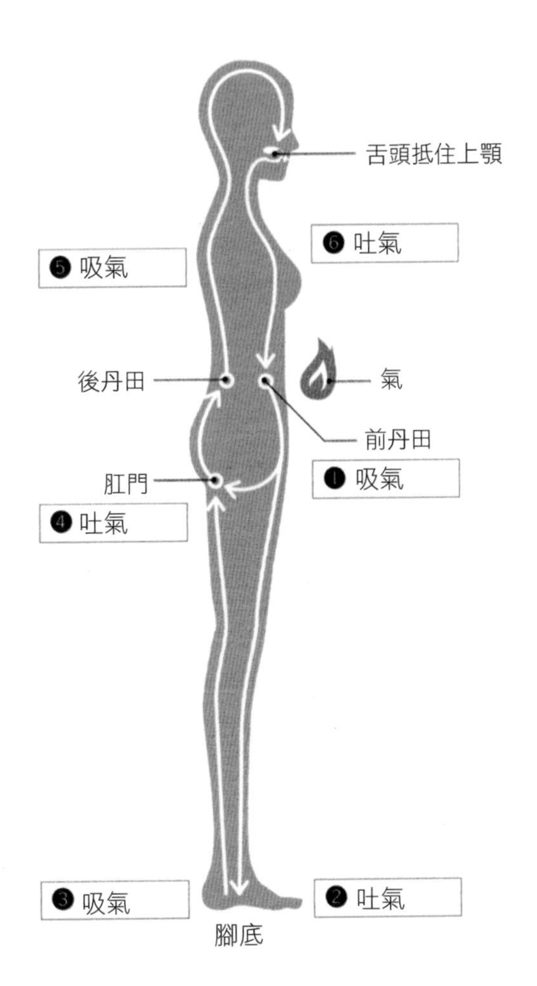

跟著呼吸，想像氣在體內，五分鐘循環一周。

改善「氣、血、水」的循環，提高身體機能，便能轉變為易孕體質。

好孕氣功非常簡單，請參考前頁的圖，隨藉呼吸，想像氣在體內五分鐘循環一周，適合在身心平靜的時刻進行，例如：結束體操或就寢前。

好孕體操是「動態」療法，好孕氣功則是「靜態」療法，動靜結合可得到更大的效果。

森本義晴　醫師

生於一九五一年。關西醫科大學研究所畢業。專長為生殖超微形態學。曾至英、美、澳研究體外受精，創辦日本ＩＶＦ大阪醫院。一年進行七千人的體外受精，成功完成日本首例未成熟卵子的體外受精。此外，還開發適於不孕者的「好孕氣功」，將東方醫學運用於不孕症治療。近年來推動不孕症治療的飲食營養觀，獲得極佳成果。為韓國ＣＨＡ醫科大學客座教授、聖瑪莉安納醫科大學客座教授、近畿大學先端技術研究所客座教授、關西醫科大學兼任講師、亞細亞太平洋生殖醫學會理事長、日本受精著床學會常務理事、日本ＩＶＦ學會理事長、日本ＩＶＦＮＡＭＢＡ醫院院長。

第5章

令人驚喜的報告——我懷孕了！

好孕體操和雙人按摩
有助懷孕與生產，
本章要分享實踐者的經驗，
希望能鼓勵所有
想要懷孕的夫妻。

好孕體操配合時機療法，五個月成功懷孕，期盼已久的孩子終於來到我家！

西口久美 主婦，38歲

為了懷孕，下定決心嘗試所有方法

我三十五歲結婚，丈夫大我十五歲。婚後兩年，因為工作夫妻分居兩地，丈夫住名古屋，我住大阪，我們只有週末相聚。

雖然我想要生孩子，但機會卻很少。二〇一〇年四月，丈夫調來大阪，我們才開始同住。藉這機會，我斷然辭掉多年的工作。

為了懷孕，我什麼都願意做。我下定決心，積極朝懷孕的目標前進。

首先，我開始看婦產科，進行檢查，確定我倆都沒問題。

「妳們持續時機療法（以基礎體溫表預測排卵日，配合行房的療法），應該就會懷孕。」

醫師這麼診斷，我們便開始實行。

與此同時，我想：「我還能做些什麼？」便上網搜集資訊，得知「好孕體操」課程。

但是，好孕體操是日本ＩＶＦ大阪醫院開設的課程，我平常看的是別家醫院，不曉得自己能否參加這課程。我抱著「不行就算了」的想法，致電日本ＩＶＦ大阪醫院，院方爽快地同意。

我第一次上課是在二〇一〇年六月三日，來參加的人我都不認識，我感到非常不安。

不過，授課的竹內邦子老師，根本不管我是不是日本ＩＶＦ大阪醫院的患者，主動跟我打招呼。上完課還問我：「覺得怎樣？」、「做得下去嗎？」稱呼我「小久美」。老師叫我「小久美」，其他人也跟著叫，大家都是擁有相同煩惱的女生。老師記得我們的名字，用暱稱叫我們，產生家人般的溫馨氣氛，讓人覺得很愉快，好孕體操教室馬上成了我最愛來的地方。

這個課程影響力很大。「我要讓全部的人都成功懷孕喔！」竹內老師積極地帶動大家。在老師開朗、正面的態度下，我的身心也變得積極起來。

開始上課的前兩個月，就有三名學生懷孕畢業。來上課的人都是盼望擁有孩子的女生，大家都衷心地恭喜成功受孕者，沒有任何負面想法，讓人體會友情的可貴。

在這裡，老師和學生都是志同道合的夥伴、朋友。我自然地開始向同學請教治療、夫妻間的事，討論各種煩惱與疑問。有一次，我跟母親談起不孕症治療，她非常擔心地說：「注射荷爾蒙會不會影響小孩？」我不想讓母親擔心，之後便不再問她這方面的事。不孕這種事，有時很難和家人商量，不過我卻有可以討論任何問題的朋友——這給我很大的鼓勵。

營造讓丈夫放鬆的家庭氣氛

除了好孕體操，只要是有益懷孕的事，我都會做。有時朋友甚至驚訝地問：

「連這種事都做啊？」在飲食方面，我只要聽到什麼食物對懷孕有幫助，就算不喜歡也會吃，而且即使是自己最愛吃的東西，如果對懷孕不好我便會忍住不吃。

我很努力，為了擁有自己的孩子，任何事我都不覺得辛苦。

丈夫非常支持我，幫我很多忙。聽說有些男性不喜歡做精液檢查，但是我丈夫沒有不高興，都會和我一起去醫院。不論是飲食或中藥，只要是我建議他吃的，他都接受。

只有在剛開始做時機療法，夫妻間有些不愉快。丈夫因為剛調來大阪，每天回家都很疲倦，看他的表情我便知道「好日子」已對他形成壓力，我卻非常著急。

「今天是好日子，你早一點回來喔！」

我忘了要體諒他，只會催促。

這不愉快的經驗讓我決定，以後凡是好日子當天送丈夫出門，我什麼都不說。

丈夫回到家，我會先讓他放鬆，請他去洗澡，準備他愛吃的食物，兩人一邊

我們用餐時愉快地聊天，讓丈夫放鬆。

聊天，一邊愉快地用餐。等他精神比較好、放鬆下來，再告訴他：

「今天是好日子喔！」

我營造愉快的氣氛，不讓他感到壓力。

我先改變，丈夫也跟著改變。原本他只是協助、配合，後來態度越來越積極，努力嘗試各種辦法。

我們這麼努力，月經還是來潮，氣餒的我總會打開上課的記錄本。

「機會得靠自己掌握，加油吧！」

我記下竹內老師課堂上的鼓勵，每當心情沮喪，默念幾遍，使心情平靜下來，重新出發。

練習好孕體操沒多久，我覺得身體狀況變好。由於我在十六歲罹患椎間盤突出症（位於脊椎骨之間的椎間盤破裂、磨損）有腰痛問題，以前怕腰痛惡化而不做運動，但是好孕體操卻讓疼痛消失，也改善荷爾蒙的平衡。

十一月六日，我倆去上雙人課程，其實當時我的月經已經晚來，由於前面四次無疾而終的時機療法，讓我失去信心，所以沒想到要驗孕。

雙人課程的兩天後，是我們的結婚紀念日。在這值得慶祝的日子，我許下願望，決定在當天用驗孕棒。竹內老師說：「參加雙人課程，就會有人懷孕喔！」讓我重拾信心。

結婚紀念日當天晚上，我坦白向丈夫說：

「我那個還沒來，現在要用驗孕棒檢驗看看。」

我請丈夫幫我看檢驗結果。

他看完之後，一副很失望的樣子，只說一句：

「再努力吧。」

「是啊！」我說。

我十分氣餒，心想只好繼續努力，丈夫卻突然抱住我說：

「恭喜！」

我一想起那一刻，到現在還是會忍不住熱淚盈眶。我們的結婚紀念日，成了懷孕紀念日。

到了星期六，我們去醫院再檢查一次。

「妳懷孕了！」醫師說。

丈夫一聽到這句話，馬上向醫師鞠躬，大聲道謝：

「謝謝醫師！」

丈夫再三表示感謝之意。看他這樣，我深深感受到懷孕的喜悅，連平時沒什麼表情的醫師也露出笑容。

現在我們的小孩已滿兩個月，只要有空，夫妻倆就會圍在兒子身邊，親親他的小臉頰，或是臉貼著他的小臉蛋。

我到現在還是認為，要不是碰到竹內老師和好孕體操，我無法那麼快擁有孩子。

兒子讓我獲得許多東西：深厚的夫妻情感、與竹內老師的相遇、許多朋友……都是無比珍貴的寶物。

我想，應該有許多想上課，卻因距離太遠而無法參加的人吧。全世界有非常多期盼生孩子的女性，都是目標相同的好夥伴，透過竹內老師的書，我們的心便能相連。

未成功懷孕之前，總會碰到許多沮喪時刻，但我相信大家都有機會。衷心希望所有的朋友，能相信竹內老師，相信好孕體操，相信自己，努力不懈地往前邁進。

【竹內老師的話】

西口小姐是擁有迷人笑容的女性。她笑的時候，彷彿臉上綻放著燦爛的花朵，整個教室瞬間亮起來。

其實西口小姐剛開始並不是如此，她腰部不好，很害怕活動身體。好孕體操似乎非常適合她，每週課程都持續改善她的腰部狀況。等到她身體狀況變好，不再害怕運動，她的臉部表情發生變化，露出迷人的笑容。

我的經驗是，只要身體狀況改變、心情變開朗，大部分的學生都會成功懷孕。有位婦產科醫師曾說：「成功懷孕的秘訣在於，病人是否充滿活力。」對懷孕來說，身心自然流露的活力，比實際年齡的大小更重要。好孕體操的目標是打造易孕體質，但由於建立起自我挑戰的心態，這個課程也使人變年輕。

西口夫婦常常互相體諒。夫妻是互相扶持的關係，提到懷孕問題，要維持兩人良好的關係變得很難，但西口小姐很體諒丈夫，丈夫也很體諒她。體諒就是良好的雙向溝通，夫妻之間絕不講話傷害對方，樂於傾聽對方的想法，便能使夫妻的感情深厚。

克服兩次流產，四十四歲順利產子，現在每天都很幸福

瀨木真理子（化名）　音樂從業人員，44歲

醫師的一句話：「妳流產是因為年齡。」

以前我的重心放在工作，工作是我生命的意義。雖然和大我十歲的丈夫交往很久，但兩人都忙於工作，並不急著結婚。

想要生孩子的念頭，最後讓我在三十九歲結婚。

我以為願望會很快實現。結婚五個月後，我在家裡用驗孕棒測試，出現陽性反應，興高采烈地前往婦產科。

但是等著我的卻是殘酷的事實——超音波看不到胎兒的心跳。

「是死胎。」醫師說。

醫師短短的一句話讓我大受打擊，非常難過，不禁淚水盈眶。

幾天後，我開始出血，內心的悲痛無法形容。我認為是高齡導致流產，自責不已，心亂如麻。這段痛苦的經驗讓我變得很悲觀，至今不願再想起。

我一直理所當然地以為「只要懷孕就能生產」但懷孕不等於生產順利。我以如此痛苦的方式了解事實後，不再對懷孕抱有期待。

我四年來都這麼想：「只和丈夫度過一生，是否有自己的孩子，由老天爺決定吧。」不知不覺中放棄懷孕，全心投入工作。

後來，我花了好長一段時間，才漸漸正面看待沒有孩子的人生，心想：「如果沒有孩子，我們還是可以過自己的人生」以前我們都以工作為重，今後兩人可以將生活重心放在喜歡的事上。我這麼一想，內心頓時輕鬆起來。

想法一改變，好事便降臨。四十三歲的初夏，我再度懷孕，但是一個月即流產，我永遠忘不了當時醫師說：

「妳流產是因為高齡。」

醫師肯定地說：「如果是二十歲的人，幾乎不會有這種事發生。問題出在年

齡，實在沒辦法。」

醫師其實沒有惡意，但他不知道，這些話對承受流產之痛的患者，打擊有多大。

不過，我和以前不一樣了。初次的經驗似乎讓我變得堅強，我產生與第一次流產不同的想法：「我還能懷孕，我還有希望」這讓我有挑戰的勇氣。

我決定再次積極考慮生孩子的事。如果我無法順利生產是因為年齡，我需要戰勝年齡。我要想辦法讓受精卵變年輕，使胎兒在我肚子裡健康長大。

我上網搜集各種資訊，「怎麼做才能戰勝年齡？」我抱著疑問，尋找所需資訊。之後，我開始做兩件事，一是吃有助卵子年輕化的法國松樹皮、輔酶Q10、葉酸等保健食品，另一個則是好孕體操。

動作變靈活，手腳變暖和

我想做好孕體操是因為我的身體一直很僵硬，手腳總是冰冷。我覺得血液循

丈夫的生日驚喜

環不好應該跟流產有關。

我閱讀竹內邦子老師的書學習體操，融入日常生活，忙碌的時候一天做十五分鐘，有空就做三十分鐘。

剛開始，我無法做得非常到位，但持之以恆一段時間，我感到身體逐漸變柔軟，動作變靈活，手腳也漸漸暖和起來。

醫師武斷的說法：「妳先生的年齡跟流產有關！」讓我丈夫大受打擊，所以他告訴我：「我們要盡己所能地嘗試」積極地服用祕魯產馬卡（MACA，一種植物）及含鋅的保健食品。

二度流產後一個半月，我又懷孕。

沒想到在丈夫生日那天，我發現自己懷孕。當驗孕棒出現陽性反應，我們非常驚訝，「我終於懷孕了！」、「太令人驚訝了！」兩人又驚又喜。

懷孕初期我曾稍微出血，十分擔心，不過其他狀況都正常，孩子在我肚子裡長大。

我是四十四歲的高齡產婦。陣痛開始，約過了十七個小時才生產，雖然很擔心，但想到馬上能看到孩子，我便不覺得疼痛難以忍耐。

生產完，我抱著終於誕生的女兒，心想：「這會不會是一場夢？」懷孕和生產對我來說，像個奇蹟。直到生產後兩個月，我才確信我真的生下孩子。

我能順利生產，是因為好孕體操及保健食品的共同作用，此外，心態也很重要。

女性一旦想要懷孕，便會全心投入，但太在意反而成不了事，我第一次流產即是如此。如果不能平常心看待懷孕，會很著急、無法放鬆。後來我改變想法，心想：「要是努力過，還是無法擁有孩子，夫妻兩人就好好過日子，做自己喜歡的事吧！」我把心放開，努力做好孕體操，不久便有孩子。人的心理和身體真的很奇妙，心放得開，身體才能放鬆。

我想告訴期盼懷孕的女性，別把自己逼得太緊。對懷孕來說，最重要的是放鬆，以開朗的心情去面對。

【竹內老師的話】

瀨木小姐說讀了我的書以後，每天在家做好孕體操十五至三十分鐘，雖然沒見過瀨木小姐，但我深受感動。

我得到許多這樣的回應。我開辦的助孕課程學生告訴我：「我持續做好孕體操，就懷孕了！」醫院也接到不少民眾來電表示：「多虧了這本書，我懷孕了。」每次聽到這些話，我都充滿感激之情，感謝大家善用好孕體操。

此外，有人問我：「孕婦可以做好孕體操嗎？」、「孕婦有哪些可以做的體操動作？」基本上，孕婦可以做好孕體操，但要注意，不管是懷孕前還是懷孕後，都要考量自己的身體狀況，選擇適合的動作，沒有全部做完亦無妨。請選擇妳想做的、覺得需要的動作，持之以恆吧！

瀨木小姐除了做體操，另外還吃保健食品。我不是保健食品專家，無法評論效果，不過我覺得保健食品的使用必須審慎判斷。

流產以後，以為再也無法重拾笑容 但夫妻共同努力，把握受孕機會

高井佐織（化名） 主婦，34歲

流產使夫妻的感情更深厚

身體狀況不佳，快去治療吧！婚後一年，我去附近的婦產科檢查。我三十歲，一心想早點擁有自己的孩子。醫師說我有經期不順和生理痛的問題，需要打針、吃藥。他說我不孕完全是因為經期不順。這醫師真可怕！

我單身時，有記錄基礎體溫的習慣，想生孩子之後，還進行排卵檢查。做不孕症治療前，即使月經不順，我每個月都有如期排卵。為什麼我還要吃藥、專程去看可怕的醫師？我實在不知道這麼做有何意義。

老公說：「為什麼要我去醫院？」好像懷孕跟他無關。

「醫師說為了懷孕，男性最好不要抽煙。」

我把醫師的話告訴老公，他回答：「我不可能戒煙。」一個抽煙近二十年的人，不會為了老婆要懷孕而不抽菸。

結果，不孕症治療我做了半年便停下來。二〇〇九年六月，我想開始用自己的方法改善不孕之際，我懷孕了。

不過，懷孕十周，我便流產。

我認為此生無法重拾笑容，失去孩子的痛苦，讓我痛不欲生。我想只有順利生產才能治癒我受創的心，女人只要懷孕過一次，想抱嬰兒的想法便會更加強烈。

感受過當爸爸喜悅的老公，也改變想法，開始了解我的心情，表示：「只要是有助懷孕的方法，我都想挑戰。」開始協助我。

我們想早日擁有孩子的想法越來越強烈。現在回想起來，雖然流產讓我們悲傷，但是一起度過痛苦的經驗，反而讓兩人同心協力，或許這是孩子送給我們的禮物，讓夫妻關係更親密。

孕的目標前進。

幾個月後，我的身心穩定下來，重新開始量基礎體溫，檢查排卵狀況，朝懷

「打造易孕體質」吸引我，開始實行好孕體操

我是本書作者竹內邦子的外甥女。阿姨很早就給我這本書，叫我做做看，於是我讀了這本書，但是我不想做體操，因為沒人曉得效果如何，我無法為了不明確的可能性去努力。

但是歷經流產的我被書的標題「打造易孕體質」吸引，老公希望我多方嘗試，於是他每晚幫我按摩。

即使很晚才回到家，他還是每天幫我按摩，我覺得過意不去，才開始幫他按摩。就這樣，我們自然地開始做好孕體操。

老公洗完澡，會問我：「要不要做啊？」然後幫我按摩，這已變成我們的習慣。雖然僅做五至十分鐘，但我們持之以恆。

洗完澡，兩人互相按摩，成為我們的習慣。

等待老公回家期間，我會做好孕體操，因為我想讓受精卵容易著床。以前我血液循環不好，月經不順、手腳冰冷、肩膀痠痛，想要使受精卵容易著床，我必須改善血液循環。

做體操和按摩使身體暖和。我的腳原本特別冰冷，但做體操讓下半身漸漸熱起來。老公握著我的手，高興地說：「妳的手變熱了。」我想效果與心情應該有很大的關係吧。「明天我們也要做體操喔！」兩個人抱著目標，持續做下去。

二〇一〇年十一月，我們到日本ＩＶＦ大阪醫院參加雙人按摩課程。對住在日本千葉縣的我們來說，大阪很遠，而且我們擔心只參加一次並不好，不過上課很愉快，夫妻的心態變得更積極，出門像旅行，讓我們轉換心情。

流產後一年，我重新接受不孕症治療，和前次不同的是，此次我痛下決心，積極治療，老公也變得非常配合。

老公在我開始做治療之際，便不再抽菸。曾說自己絕不可能戒菸的老公，斷然地下定決心。

準備做第二次診療時，我因時間無法配合，無法去醫院，但還沒進行第二次

診療，我便懷孕。

正想徹底治療之際，奇蹟突然發生，真奇怪。明明之前我嚴格監控基礎體溫，還是無法懷孕。或許是想法改變，準備藉醫療之力，心情自然放鬆，這讓我深深覺得，懷孕真是奇妙。

不過，我一直無法忘記流產的痛苦經驗，生產前我每天都很擔心。懷孕滿十周之前，每次去廁所，我都很擔心會不會出血。

老公向我表達他的感激之情。

「妳努力這麼久，真是辛苦了！」

他流著眼淚，體貼地向我道謝。

我們一心期盼順利生產，平安度過十個月，盛夏，我們的兒子誕生。寶寶常半夜哭泣，使我精疲力盡，不過最近他開始會用眼睛追著我看，還會笑。我想：「要不是這孩子給我力量，我恐怕一事無成。」覺得寶寶實在太可愛。

我還想，要是五年前，我婚後馬上順利懷孕、生產，我們夫妻會變怎樣呢？

老公現在被兒子迷得神魂顛倒，一點都不抱怨兒子半夜哭泣，要是夜裡發現我在哄哭泣的兒子，會用沒睡醒的聲音問我：「要不要換我來？」即使他知道我會說：「沒關係，你睡吧。」他還是會問，讓我很欣慰。

要是一開始我們很快地擁有孩子，情況可能不會如此。五年間，我們多次爭吵，流過許多眼淚。無法懷孕的問題卡在兩人之間，意見不同，無法互相配合，實在莫可奈何。不過最後我們終能同心協力，為相同目標努力，苦心是不會白費的。

每晚的雙人按摩讓我們了解同心協力的重要，加深夫妻感情。我想，孩子遲遲不降生，就是在等我們建立溫暖的家庭吧。

【竹內老師的話】

佐織是我的外甥女，至今我關心過許多學生，但自己的親人還是頭一遭。透過這次經驗，我再次深切體會親人的重要。

我姊姊，佐織的媽媽，曾多次打電話問我佐織的事，每次我都回答：「妳放心，她會懷孕。妳別說多餘的話，只要默默關心就好。」姊姊和佐織的婆婆都很明白這個道理，儘管很擔心，她們還是默默關心，不造成壓力。

如果你的親人想要擁有孩子，請別說：「還沒懷孕啊？」這種多餘的話，只會增加壓力，很可能反而讓他們離懷孕的目標越來越遠。

佐織很熱衷上網獲取有關懷孕的資訊。我理解她的想法，要叫她別看是很困難的，但是希望她別過於沉迷。

網路的資訊不一定真實。看別人的部落格，會在意他人的事、為他人擔心，浪費寶貴的時間。佐織有些固執，即使我告訴她：「這對懷孕有幫助喔。」只要她發現網路上有負面說法，絕不接受，或許她的固執，是比平常人花費較多時間才成功懷孕的原因。

不過，當她知道透過好孕體操和雙人按摩能改善身體的狀況，便全心投入，持之以恆，絕不受他人影響。下定決心付諸行動，能大大改變人生。

原本冷到會痛的手腳變暖，終於擁有自己的孩子

藤田奈美子（化名）　主婦，39歲

彷徨的心穩定下來

我一直以為只要結婚，便能馬上懷孕，認為懷孕是很自然、理所當然的事。我三十六歲結婚，想馬上生孩子，斷然辭去多年的工作。

這時，一位看過不孕症門診的朋友告訴我：

「懷孕不是理所當然、自然的事，是很辛苦的。妳的年紀比較大，做一次檢查比較好吧！」

剛開始我沒什麼感覺，後來卻逐漸對「懷孕不是理所當然、自然的事」深有感觸。

我和丈夫商量，他說：

「如果妳想檢查，我跟妳一起去。」

雖然如此，我還是難以下定決心，直到婚後一年半才去醫院檢查。

住在日本京都的我選擇的醫院，是足立醫院婦產科附設的不孕症中心。我們夫妻都做了檢查，醫師說兩邊都找不出明顯原因。

之後，我便每個月去不孕症中心三至四次，請醫師開給我荷爾蒙和改善手腳冰冷的中藥。不孕症中心總是人潮擁擠，在候診室等待，實在辛苦。那裡和婦產科不同，大家都很沉默。

初診約過了兩個月，我看到候診室的宣傳單，決定參加不孕症中心舉辦的好孕體操課程。不過，我的上課動機與上一般健身房不同，擔心自己一個人去，上課的人可能都是年輕人。

但我的不安很快消除。一進入教室，竹內邦子老師便向我打招呼，以開朗的聲音迎接我。學生們親切地告訴我要帶墊子，她們都是不孕症中心的患者。無人交談的不孕症候診室與教室裡的氣氛截然不同，這裡的大家非常開朗、和藹可親。

上課一開始，竹內老師看著學生的臉點名。「第一次我會叫全名，第二次以後我直接叫『小奈美』喔！」老師用暱稱叫學生，年紀不小的我沒被人這麼叫過，有點不好意思，不過我感到很開心，不安的心穩定下來。

「我已盡力」產生成就感

上課的內容對我來說很吃力，雖然還不到有氧運動的程度，但很費力。對我這種完全沒激烈運動過的人來說，上課很累，不過疲勞感卻讓人舒服，回家後便想睡午覺。

開始上課是一月，那時我的手腳冰冷到會痛。我原本手腳冰冷很嚴重，不過上課不久，手腳冰冷的情況便消失，變得暖和。

體操的效果影響精神。活動身體，心跟著開朗起來，而且和具有同樣煩惱的朋友相較，心較能平靜下來。

來上課的人所做的治療都不同，有人沒做治療，只參加體操課程。不過沒有人會談治療上不愉快的事，下課後大家一起喝茶、吃午餐、玩樂，真的很開心。

聽到有人說：「我去參拜神社，就懷孕了！」馬上有人附和：「我們大家去試試吧！」大夥便散步前往參拜，好不熱鬧，這種團結的感覺，讓人感到愉快。

不久，朋友們一個個成功懷孕。我聽到抱有同樣目標的朋友成功懷孕，深受感動，高興不已。我向朋友道賀：「真是太好了，恭喜妳！」朋友鼓勵我：「小奈美一定沒問題！」有的朋友在生產前，還不安地發簡訊給我：「陣痛好像開始了。」、「子宮頸開了。」看到這些訊息，我不禁熱淚盈眶。

「小○○終於當媽媽了！」過去，我多次聽到學生時代的朋友或同事懷孕的消息，不曾有過這樣的感覺，現在的我內心深受感動與震撼。

約過了一年，我父親生病住院，因此我有一小段時間無法去不孕症中心。那時，我的月經晚了兩周還沒來，以前我曾有過晚來一週的情形，所以不太在意。

星期六，丈夫休假，我們前往久未造訪的不孕症中心。內診結束，當我要進入看診室，護士笑著說：「請妳先生一塊進來吧！」接著，我們收到醫師的驚人消息。

「妳懷孕了。」

由於太過突然，我的腦袋一時間反應不過來。「是這樣啊。」我說，一點真實感也沒有，站在我身旁跟我一起聽醫師說明的丈夫，只是汗水直流。他不是流淚，而是流汗。

丈夫平常很冷淡、不愛說話，喜怒哀樂不表現在臉上，是那種妳跟他不熟便很難溝通的類型。我們從看診室出來，他只說了一句：「真是太好了。」在看診室流的汗，代表他的喜悅和溫暖的心。他有多高興啊！我這才了解他的心意，無比喜悅。

治療期間，他定期去不孕症中心拿中藥，每天和我一起吃藥。我常忘記吃藥，他卻很認真，不曾忘記。兩人一起吃藥的小習慣，讓我們有同舟共濟的感覺。丈夫幫了我很大的忙。

離預產期還有三週，現在我的興趣是看丈夫摸我的肚子，我很期待生產的那一天。迎接生產，我會有什麼樣的感覺呢？看到自己的孩子，丈夫會有什麼表

面對突如其來的驚喜，丈夫不是流淚而是流汗。

情？我想好好感受這一切。

不孕症治療期間，很難感到「我已努力」但是好孕體操卻可讓人有這種成就感，心情再怎麼不好，只要去上課，我便變得開心。等待懷孕的這三年，令人沮喪的事不可勝數，但這段期間我認識了好孕體操、朋友以及竹內老師，給我無價的寶藏及感動。

【竹內老師的話】

藤田小姐乍看之下，是一位積極樂觀、不會為小事想不開的人，其實她的內心比別人敏感，是不會表現出脆弱的學生。

而且她很認真、努力，有時甚至努力過頭，傷到自己的身體。

似乎有許多為不孕煩惱的女性，都像藤田小姐一樣，個性認真、努力過頭。我認為這非常好，不須勉強改變自己。請做妳自己，接納自己，重要的是，知道自己有這種個性，別太逞強。

有一次，藤田小姐告訴我：「上老師的課，是我很重要的娛樂。我們家是普通的上班族家庭，無法花太多錢在興趣上，不過我覺得好孕體操是很好的娛樂，所以來參加。」

舒服地放鬆身體、愉快地做好孕體操，能消除肩膀痠痛等不適。身體的狀況一旦改善，便會想持續下去。我大部分的學生即是如此，為了自己，愉快地做體操，最後成功懷孕。希望各位為了自己的身心，務必一起愉快地做好孕體操。

另外，藤田小姐的先生是非常支持太太的人，他還參加雙人課程。去年度參加雙人課程的夫妻，目前已有75％成功受孕。

後記

不知妳覺得好孕體操和雙人按摩如何呢？

如前所述，本書是我前一本日文著作《讓妳容易懷孕的好孕體操》的續作。前書出版後，最令人高興的，是透過書遇見許多令人難忘的事物。

其中之一，是日本各地有許多人來上體驗課程。北從北海道，南至九州，恐怕除了沖繩，日本所有地區都有人來參與課程。看到許多人上完課大受鼓舞，笑著離開，令我非常高興，信心大增。

另外，我看了樂天網路書店和亞馬遜書店，讀者對前書的評價，讀者投稿之多，超乎我的預期，讓我驚訝，我還看到許多讀者高興地表示：「我懷孕了」、「肩膀不再痠痛」我感到溫暖無比。於是，我越來越希望透過本書，幫助更多為不孕症煩惱的女性。

持之以恆地做好孕體操，將會得到極佳效果，身體終有改變的一天。

原本妳都不經意地舉手，現在改成使用肌肉，把手舉起來，這就是妳進步的好機會。請注意，同一個伸展動作，如果把動作做得更大，效果也就不同。請努力試試看吧！

身體僵硬沒關係，重要的是放鬆肌肉。透過每天的體操，增加肌肉柔軟度，使血管跟著放鬆，改善血液循環。這對懷孕很重要，請循序漸進，別心急逞強。請相信自己可以打造易孕體質，大家一起繼續努力吧。

最後有一件重要的事，希望各位遵守：

請不要努力過度，把自己逼得太緊。

一顆努力向上的心會讓人積極樂觀，但努力過度會使心理疲倦，產生壓力。過度的壓力使身心僵硬，妨礙女性荷爾蒙分泌，阻礙懷孕。

所以，做好孕體操，如果覺得舒服、愉快，表示妳已努力，請讚美一下積極朝懷孕目標前進的自己，對自己說：「今天很努力喔！」

如果妳覺得「不做體操，無法懷孕」便已造成精神上的負擔，表示妳努力過度。體操即使只做五分鐘都夠。如果肩膀痠痛，就做肩膀的簡單伸展動作即可。

請實際感受一下活動身體的舒暢感，以及不適減輕的感覺。舒服、愉快，自然會讓妳想持續做好孕體操。

最後，本書的出版，承蒙日本IVF NAMBA醫院院長森本義晴醫師，及日本IVF大阪醫院院長福田愛作醫師的大力協助，我在此由衷表示感謝。

相信未來是光明的，盡己所能地努力——這種積極的心態，會幫助妳實現夢想。為懷孕而努力的妳，請好好運用好孕體操吧。

竹內邦子

國家圖書館出版品預行編目資料

好孕體操讓妳調理體質、突破高齡、自然受孕！/竹內邦子作；陳政芬譯. -- 初版. -- 新北市：世茂, 2014.07
面；　公分. --（婦幼館；147）

ISBN 978-986-5779-28-3（平裝）

1.健身操　2.運動健康　3.不孕症

411.711　　103009946

婦幼館 147

好孕體操讓妳調理體質、突破高齡、自然受孕！

作　　者／竹內邦子
監 修 者／森本義晴
譯　　者／陳政芬
主　　編／陳文君
責任編輯／石文穎
封面設計／劉凱亭 xdw2123@gmail.com
出 版 者／世茂出版有限公司
負 責 人／簡泰雄
地　　址／（231）新北市新店區民生路 19 號 5 樓
電　　話／（02）2218-3277
傳　　真／（02）2218-3239（訂書專線）．（02）2218-7539
劃撥帳號／19911841
戶　　名／世茂出版有限公司　單次郵購總金額未滿 500 元（含），請加 50 元掛號費
世茂官網／www.coolbooks.com.tw
排版製版／辰皓國際出版製作有限公司
印　　刷／祥新印刷股份有限公司
初版一刷／2014 年 7 月

ISBN／978-986-5779-28-3
定　　價／240 元

AKACHAN GA DEKIRU! FERTILE STRETCH DVD BOOK by Kuniko Takeuchi, supervised by Yoshiharu Morimoto

Original Japanese edition published by Makino Shuppan Co., Ltd., Tokyo.

This Complex Chinese language edition is published by arrangement with Makino Shuppan Co., Ltd., Tokyo in care of Tuttle-Mori Agency, Inc., Tokyo through Future View Technology Ltd., Taipei.